KB022632

최약무패의

바하무트

신장기룡

룩스는 예상치 못한 상황에 얼어붙었다.

마기알카 젠
반프리크

로자
그랑하이드

지금 이 자리에서,
세계를 지키는 최후의 요새가 재림했다.

"다들 알겠지?
한 사람당 하나씩 죽여야 하네."

CONTENTS

UNDEFEATED
BAHAMUT
CHRONICLE

신장기룡

최약무패의

바하무트

13

아카츠키 센리 지음
카스가 아유무 일러스트
원성민 옮김

Character

룩스 아카디아

멸망한 아카디아 제국의 왕자.
『무패의 최약』이라고 불리는 기룡사.

리즈샤르테 아티스마타

아티스마타 신왕국의 왕녀. 붉은 전희(戰姬)라고 불린다.
신장기룡 《티아마트》의 파일럿.

피르히 아인그람

아인그람 재벌의 차녀. 룩스의 소꿉친구이며 학원장의 여동생.
신장기룡 《티폰》의 파일럿.

크루루시퍼 에인폴크

북쪽의 대국, 유미르 교국에서 온 유학생 클래스메이트.
신장기룡 《파프니르》의 파일럿.

아이리 아카디아

구제국 황족의 생존자.
1학년이며 룩스의 친여동생.

세리스티아 라르그리스

『기사단』의 단장, 학원 최강의 3학년. 사대 귀족인 공작가 영애
이며, 신장기룡 《린드부름》의 파일럿.

키리히메 요루카

『제국의 흉인』이라고 불리던 암살자 소녀.
룩스를 주인으로 인정하고 섬기고 있다.
신장기룡 《야토노카미》의 파일럿.

에릴 뷔 아카디아

신성 아카디아 황국의 제2 황녀. 유적의 힘을 사용하여 타인의
인식을 개찬해서, 코랄로서 칠용기성을 감시하고 있다.

World

장갑기룡《드래곤 라이드》

유적에서 발굴된 고대병기.
그중에서도 희소종이며, 높은 성능을 보유한 것은 신장기룡이라고 부른다.
또한, 장갑기룡의 파일럿은 기룡사《드래곤 나이트》라고 부른다.

유적《루인》

전 세계에서 발견된 일곱 개의 고대유적. 장갑기룡《드래곤 라이드》이 발굴
된 이후, 국력을 좌우하는 중요한 거점으로써 각국 간에 세력 다툼이 일어
나고 있다.

환신수《어비스》

유적에서 나타나는 수수께끼의 환수. 인류를 위협하는 존재이며, 기룡사만
이 대항할 수 있다.

종언신수《라그라뢰크》

한 유적에 단 한 마리만이 존재한다는 초현실적인 힘을 숨긴 일곱 마리의
환신수.

『검은 영웅』

정체불명의 장갑기룡《드래곤 라이드》을 사용하여 단신으로 약 1,200기에
달하는 제국 장갑기룡을 쓰러뜨렸다고 하는 전설의 영웅.

아티스마타 신왕국

리즈샤르테의 아버지인 아티스마타 백작이 아카디아 제국에 대항하여 일으
킨 쿠데타가 성공하며 5년 전에 건국된 나라.

아카디아 구제국

세계의 5분의 1을 지배했던 대국. 세계최강이라고 일컬어지던 압도적인 군사
력을 바탕으로 압정을 펼쳤으나, 쿠데타로 인해 멸망하였다.
룩스와 아이리는, 이 제국 황족의 생존자.

칠용기성

갈수록 늘어나는 환신수의 위협에 대항하여, 세계협정의 가맹국에서 선출
한 대표 기룡사들.

"으…… 으음?"

얇은 막 같은 피로감이 소녀의 온몸을 감싸고 있다.

하루 중 깨어 있는 건 겨우 몇 시간. 가벼운 수프 등으로 끼니를 해결하고, 화장실에 다녀온 뒤에는 정신없이 잠든다.

시간의 흐름조차 모호한 며칠을 보내고, 또다시 깊은 잠에 빠진다.

그러던 어느 날, 번쩍 눈을 뜬 리샤는 침대에서 벌떡 일어났다.

청결한 순백색 벽지. 소독약과 약초 냄새가 좁은 실내에 가득 차 있었다.

"여긴 학원 의무실— 아니, 구호실인가? 대체 난 언제부터……!"

방에 있는 거울을 보니 익숙한 자신의 얼굴이 비쳤다.

금발 사이드 테일이 풀려 있는 붉은 눈동자의 소녀. 신왕국 왕녀 리즈샤르테.

『용비적』과의 전투 후, 한 번은 확실하게 잠에서 깨었던 것이 기억났다.

하지만 모두가 무사하다는 것을 확인하고 사건도 일단락된 직후. 소피스의 환영 파티를 연 다음날 리샤는 누적된 피로 때문에 쓰러지고 말았다.

그 뒤로는 기억이 무척 모호해서 아무 것도 떠오르지 않았다.

"내가 어떻게 된 거지?! 오늘은 대체 며칠이야?! 신년 퍼레이드는 어떻게 됐고!"

잠옷 차림으로 소리친 리샤는 침대에서 내려와 방을 뛰쳐나가려고 했다.

하지만 문고리에 손을 뻗으려는 찰나에 먼저 문이 열리더니 한 소녀가 모습을 드러냈다.

리샤의 급우이자 유격부대 『기사단』시바레스의 일원.

유미르 교국의 유학생인 크루루시퍼 에인폴크였다.

"아무래도 건강한 것 같아서 마음이 놓이는걸. 며칠 동안 거의 잠만 잔 것 치고는 말이야."

"크루루시퍼?! 왜 네가 여기 있지?! 아니, 내가 며칠간 잠만 잤다고?"

눈을 동그랗게 뜨고 어리둥절해하는 리샤를 보며 크루루시퍼는 짧게 탄식하고 시원스럽게 머리카락을 쓸어 올렸다.

그리고 일단 리샤를 침대 위로 돌아가게끔 재촉한 다음 얘기하기 시작했다.

"네 승리 소식은 삼화음에게 들었어. 기룡 위에 각종 범용 기룡을 추가 장착하는 『초월장갑』오버 유닛 — 그것으로 『용비적』의 지휘관을 쓰러뜨렸다면서. 훌륭해."

크루루시퍼는 어쩐지 복잡해 보이는 미소를 지었다.

"하지만 무리하는 것에 익숙하지 않았었나 보구나. 여러 장갑기룡을 신장기룡과 동시에 사용하면, 체력과 정신력이 평소보다 몇 배는 더 소모돼. 그 과도한 부담이, 긴장을 푼 순간에 널 덮친 거야."

"……."

요컨대, 하마터면 죽을 뻔했다— 그런 이야기일 것이다.

그렇게 생각하니 리샤도 등골이 서늘했다.

"허나, 그 상황에서는 다른 방법이 없었으니까……."

"그렇겠지."

리샤가 힘없이 중얼거리자 크루루시퍼도 순순히 인정했다.

"그런 상황에서 너 한 명에게 모든 것을 맡겨버린 건 우리 책임이야. 그러니까 네가 반성할 필요는 없어."

"그건 무슨 뜻이지? 설마, 내 힘이 부족하다는—"

크루루시퍼가 자신을 깎아내린다고 생각한 리샤는 반사적으로 발끈했다.

그러나 크루루시퍼의 가라앉은 표정을 보고 착각임을 깨달았다.

"아니야. 우리의 힘을 과신한 것을 후회하는 거지. 오일 슬라임을 투입한 후에 일제히 터뜨리다니. 『용비적』 드라켄의 책략을 얕본 것이 초래한 실수야."

완벽주의자인 크루루시퍼는 그 점이 부끄러웠다.

하지만 그때는 『용비적』과 종언신수 한 마리를 동시에 상대해야 하는 무리한 상황이었으니 어쩔 수 없을 것이다.

그래도 그녀는 그것만으로는 만족할 수 없었다.

"훗."

크루루시퍼의 의중을 파악한 리샤는 쓴웃음을 지었다.

"요컨대 이 말을 하고 싶은 게냐? 피차 강해졌다고 자만하기에는 아직 갈 길이 멀다고."

"맞아, 더욱 정진하자. 우리보다 훨씬 무리하는 누군가에게, 걱정을 끼치지 않도록."

참으로 크루루시퍼다운 말이라고나 할까. 그런 지기 싫어하는 탐욕스러운 면모도 리샤는 싫지 않았다.

그러면서 호시탐탐 룩스를 차지하려 들지만 않는다면 더할 나위 없을 터이나, 그 점은 일단 제쳐놓기로 했다.

"그건 그렇고 막 신년이 되었다지만 학원이 이상하게 조용하군. 슬슬 수업도 시작되었을 텐데— 룩스는 어떻게 되었지?"

"그 이야기, 말인데. 너도 그럭저럭 기운을 차린 것 같으니, 이제 얘기해도 괜찮으려나."

고개를 갸웃하는 리샤를 보며 크루루시퍼가 별안간 말투를 바꾸었다.

온화하고 부드러운 말투에서, 약간 긴장감을 띤 말투로.

"……무슨 일이 있었지? 룩스가 『대성역』을 공략하기 위해서 다른 『칠용기성』과 함께 마르카팔 왕국으로 떠난 것까지는 기억하고 있다만—."

그렇다.

소피스 엑스퍼와 관련된 지난번 전투에서 모든 『그랑 포스』를 모았기 때문에 마침내 『대성역』을 공략할 길이 열리게 되었다.

『대성역』에는 고대 기술과 많은 유산이 잠들어 있으며, 최심부인 중추에 도착하면 『성식』— 세계를 붕괴로 인도하는 최후의 라그나뢰크를 막을 수 있게 된다.

그것으로 마침내 세계가 구원받는 것이다.

마르카팔 왕국의 폐도 게르니카에 『대성역』이 있다는 사실을 파악하고 예전부터 준비해온 『칠용기성』 대장 마기알카는 세계 연합의 정예 기룡사(드래곤 나이트)들을 집결시켜 진을 펼쳤다.

『대성역』이 존재할 것으로 예상되는 고성 부근 요새에 병참을 마련하고 『칠용기성』을 불러들인 것이다.

리샤가 의식을 잃기 7일 전까지만 해도 나머지 유적(루인)도 해방되지 않았을 터였으나—.

"네가 잠들어 있는 사이에 두 유적이 해방됐어. 유미르 교국의 『갱도(홀)』, 그리고 신왕국의 『모형 정원(가든)』도."

"그런가, 그렇다면—."

"다만 그 두 곳을 개방한 건 전부 『창조주(로드)』이지만, 말이지."

"……뭣?!"

유적 공략은 구시대의 지배자인 『창조주』가 지휘하고 있으니 그 자체는 크게 신기한 일이 아니다.

그러나 리샤는 기묘한 위화감을 느꼈다.

"그녀들은 세계 연합과 결별했어. 그리고 지금까지 숨겨온 『성식』을 비롯한 이 세계의 상황을 각국 국민들에게 알렸지."

"─뭐라고?"

이어지는 크루루시퍼의 이야기를 듣고 리샤는 크게 놀랐다.

"지금 생각해보면 그녀들은 처음부터 그렇게 할 생각이었던 거겠지. 지금까지 우리와 협정을 맺은 이유는 『대성역』으로 가는 길이 열리기 전까지는 정말로 곤란했기 때문일 거야. 하지만 더 이상은 그럴 필요가 없어진 거고."

"제기랄! 은혜를 모르는 족속들 같으니! 우리를 실컷 이용해놓고, 자기들끼리 구시대의 기술과 유산을 날름 독차지할 생각인가?!"

배신자인 소피스와 무사히 화해했다고 생각했건만 이런 결과라니.

리샤가 침대 위에서 이를 으득 갈자 크루루시퍼가 심호흡을 하며 대답했다.

"유감스럽게도, 그렇게 간단한 문제가 아니야. 네가 잠들어 있는 사이에 『창조주』 일당이 공표한 게 있거든……."

언제나 냉정한 크루루시퍼의 표정에는 두려워하는 기색마저 떠올라 있었다.

그녀의 분위기가 심상치 않음을 느낀 리샤는 분노를 억누르고 물었다.

"대체, 무슨 일이 있었단 말이냐?"

"그녀들은 『대성역』에 관련된 것에만 독점하려는 자세를 보인 게 아니야."

한숨을 짧게 내쉰 후, 근심어린 표정으로 푸른 머리카락의 소녀는 머리카락을 쓸어 올렸다.

"현재 이 세계를 지배하는 모든 왕후귀족들의 숙청— 세계 구조 그 자체의 재편성을 꾀하고 있지."

"——?!"

예상치 못한 대답에 리샤는 전율했다.

그리고 크루루시퍼는 조용히 말을 이었다.

리샤가 쓰러진 뒤로 며칠 동안 세계 각지에서 일어난 사건.

『창조주』가 꾸미고 있는 어마어마한 계획을.

†

리샤가 눈을 뜨기 7일 전.

아티스마타 신왕국, 왕도 로드갈리아.

왕성 내부— 알현실.

소피스의 배신에서 비롯된 사건이 해결되고, 살짝 느긋한 분위기가 성 안을 감돌고 있을 무렵. 급히 도착한 전령이 이 상황을 깨뜨렸다.

"보고드리겠습니다! 여왕 폐하! 국내 각지에 기묘한 인물이 나타나 알 수 없는 연설을 시작했습니다! 《드레이크》로 탐지한 결과, 인간으로 위장한 새도라는 환신수로 판명되었습니다! 그 환신수는 떠들어대기만 할뿐, 국민들이나 기룡사에게는 일절 피해를 주지 않고 있습니다만—."

한 기룡사가 보고하는 내용을 듣고 그 자리에 있던 라피 여왕과 신왕국 중신들은 전부 눈살을 찌푸렸다.

"여왕 폐하는 얼마 전까지 일어난 사건과 앞으로 있을『대성역』공략에 관련된 군사 회의로 바쁘시다. 국내에서 일어나는 사소한 문제는 귀공들이 알아서 처리하게."

아직 젊고 영리한 재상 나르프는 그렇게 말했지만 보고하던 병사는 고개를 들지 않았다.

무릎을 꿇은 채, 떨리는 목소리로 말을 이었다.

"외, 외람된 말씀이오나…… 연설을 하고 있는 환신수의 숫자가 심상치 않습니다. 또한, 그 내용에도 문제가 있습니다."

"문제라니? 대체 무슨 소리를 떠들어대고 있길래? 국민들에게는 환신수가 퍼뜨리는 망언이라고 알려두면, 무슨 이야기를 한들 문제될 건 없을 텐데."

"아, 아니요, 그것이, 워낙에 엄청난 내용인지라—."

병사가 파랗게 질린 얼굴을 들어 올렸을 때, 문이 천천히 열리더니 누군가가 들어왔다.

"웬 놈이냐! 감히 여왕 폐하의 어전— 헉?!"

갑자기 나타난 침입자를 향해 나르프 재상은 호통을 치려다가 도중에 멈췄다.

침입자의 모습을 확인하고 자기도 모르게 말문이 막힌 탓이다.

"귀공은, 분명—?!"

"으…… 당신은?!"

나르프에 이어서 라피 여왕도 숨을 삼켰다.

알현실에 나타난 것은 순백색 드레스를 입은 한 소녀였다.

아니, 하얀 것은 드레스만이 아니었다.

갓 내린 눈처럼 티라고는 한 점 없는 피부와 눈가루를 흩뿌린 것처럼 반짝이는 은발.

좌우의 색이 다른 눈동자는 왼쪽이 회색, 오른쪽은 아련하게 타는 듯한 심홍색.

인간과 동떨어진 초연한 기척을 느끼고, 알현실에 모인 중신들은 물론이거니와 라피와 나르프마저 감히 입을 열지 못했다.

"처음 뵙겠습니다. 제 이름은 리스테르카 레이 아샤리아. 이 세계의 모든 유적을 관리했던 『창조주』— 구시대의 황족, 신성 아카디아 황국의 후예입니다."

"뭣……?!"

"저 분은, 리스테르카 황녀 전하……? 어째서 여기에?!"

그 말을 들은 중신들은 놀라며 서로 얼굴을 마주보았다.

『창조주』의 정점 리스테르카 레이 아샤리아의 존재는 백성들에게는 알리지 않았으나, 각국 중신들에게는 전해두었다.

그런데 그녀가 왜 느닷없이 이 자리에 나타나 자신의 정체를 밝혔을까?

무슨 일이 일어나려는 것일까? 무슨 말을 하려는 것일까?

그런 혼란이 좌중들 사이에서 퍼져가는 가운데 나르프 재상은 퍼뜩 정신을 차렸다.

"위, 위병은 뭘 하고 있나! 침입자를 막지 않고?!"

"저, 저겁니다! 각지에서 나타나 연설하고 있는, 사람을 흉내 내는 환신수가!"

"뭐라고······?!"

나르프가 지시하는 동시에 보고하던 병사가 소리쳤다.

위병들은 장갑기룡을 소환해서 여왕 앞을 가리듯이 섰다.

그러나 환신수는 전혀 개의치 않고 계속해서 말할 뿐이었다.

"원래는 좀 더 일찍 인사할 예정이었습니다만, 제게도 사정이 있는지라. 뭐, 신왕국 집정관들이나 라피 여왕은 숨기고 있었던 모양이나, 여왕을 탓할 일은 아니랍니다. 왜냐하면 알려서 좋을 게 없으니까요— 이 세계의 정통한 지배자인, 이저의 존재는."

"무, 무슨 소릴 하는 거냐?!"

"이 무례한 것이! 함부로 지껄이지 마라!"

분노한 중신들은 저마다 떠들어댔지만 나르프가 제지했다.

"소용없는 짓이니 그만들 두시오."

리스테르카 본인이 말하는 것이 아니라, 그녀를 흉내 낸 새도라는 환신수가 일방적으로 떠들어대고 있을 뿐이니까.

"우리는 일찍이 이 세계를 다스렸던 구시대의 황족. 구제국도 신왕국도 다른 국가들도 우리의 존재를 감추고, 당신들 위에서 군림해왔지요."

흐르는 물처럼 소녀의— 아니, 리스테르카를 흉내 낸 환신수의 연설은 이어졌다.

아름다운 억양의 목소리가 알현실에 조용히 울려 퍼졌다.

"하지만 우리는 다시 바깥 무대로 나와서, 예전처럼 여러분의 지배자가 되기로 결정했습니다. 두려워할 필요는 없어요. 우리 『창조주』가 처벌할 대상은 왕후귀족뿐, 무력을 갖지 못한 백성 여러분께는 손을 대지 않을 테니까. 그러니─."

리스테르카의 우아한 미소 속에 한 방울 독약 같은 그늘이 섞였다.

"자신들이 무고한 백성이라고 주장하고 싶다면, 지금 즉시 행동으로 옮기세요. 장갑기룡을 버리고, 왕후귀족들과 거리를 두고, 그들과 연을 끊어 고립시키세요. 우리는 무기를 가진 자, 기룡이라는 절대적 무력으로 지배를 계속하려는 자와 그 관계자들을 말살할 것입니다."

"뭐라고─?!"

중신들은 전부 눈을 부릅뜨고 놀라며 소리쳤다.

그것은 너무나도 명확한 선동이었다.

왕후귀족들에게서 힘을 빼앗고, 고립시키기 위한 정치적 선전.

게다가 리스테르카는 지배자 계급을 전부 제거한 후에는 환신수의 활동을 멈추고, 세금과 징병을 전부 폐지하여 자유를 주겠다고 이어서 말했다.

"─어디서 그런 얼토당토않은 소리를! 기가 막히는군!"

"이런 흰소리를 곧이곧대로 받아들이는 백성이 우리나라에 있을 리 없지."

"여왕 폐하! 즉시 각지에 출몰한 환신수의 토벌 명령을 내려주십시오!"

분노에 찬 중신들이 입을 모아 요청했지만 라피 여왕은 조용히 고개를 저었다.

　"그건— 불가능합니다."

　라피 여왕은 침통한 표정으로 대답했다.

　"현재 『대성역』을 공략하기 위해서 마르카팔 왕국에 전력을 집결해두었습니다. 때문에 사대 귀족의 힘을 빌린다 해도, 왕도의 치안유지조차 버거운 상황이에요."

　다시 말해 섀도라는, 그저 연설을 할 뿐인 환신수의 토벌에 무력을 투입할 수 없는 상황이었다.

　그렇다면 꾹 참을 수밖에 없으나, 그럼에도 불구하고 일부 신하들은 끈질기게 요청했다.

　"송구하오나 한말씀 올리겠사옵니다! 아무리 망언일지언정 이러한 헛소문이 연일 각지에서 반복된다면 이윽고 소문에 살이 붙게 될 것이옵니다. 신왕국의 기반을 빼앗길 수는 없사옵니다! 한시라도 빨리 환신수 토벌을—."

　"폐하의 말씀을 듣지 못했소? 안 된다고 하시잖소!"

　나르프 재상이 일갈하자 모든 사람들이 입을 다물었다.

　같은 이야기를 반복하기 시작한 리스테르카를 보며 나르프는 장갑기룡을 착용한 위병에게 지시를 내렸다.

　기룡사가 블레이드로 핵을 찌르자 환신수는 저항하지 않고 쓰러지더니 재가 되어 부스러졌다.

　"허튼 선동입니다. 게다가 폐하는 국민들의 지지를 받고 있지요. 환신수의 허언에 놀아날 걱정은 없습니다."

"⋯⋯그렇겠지요."

나르프의 조언에 라피는 고개를 끄덕이고 내쉴뻔하던 한숨을 삼켰다.

어차피 현재 상황에서는 손을 쓸 길이 없으니 그렇게 생각할 수밖에 없었다.

일부 중신들은 세금을 낭비하고 있다는 게 켕기기라도 하는지 명예를 회복하기 위해 안달했지만 그럴 틈은 없었다.

그러나— 라피는 생각했다.

그 섀도라는 환신수를 동원한 연설의 이면에 아직 다른 함정이 숨어 있다고 한다면.

리스테르카 레이 아샤리아가 진심으로 현재의 지배 구조를 바꾸려고 하고 있다면, 이대로 끝나지 않을지도 모른다.

"⋯⋯역시, 짐이 무거운 걸지도 모르겠어요. 영걸인 오빠를 대신하라니, 제 능력으로는—."

라피 여왕의 독백은 옆에 서 있던 나르프 재상에게만 들렸고, 술렁거리기 시작한 알현실의 소음에 묻혀 사라졌다.

그리고 한나절 후, 더욱 무서운 『창조주』의 통보가 도착했다.

『창조주』에 의한 『칠용기성』의 억류.

그들을 인질로 내세운 교섭에 출두하라는 요청이었다.

앞으로 12일 이내에 대표들이 마르카팔 왕국에 나타나지 않을 경우, 『칠용기성』을 처형하겠다면서.

†

"이게 무슨— 내가 잠이나 자는 사이에 그런 일이 있었다고?!"

크루루시퍼의 이야기를 다 들은 리샤는 주먹을 불끈 쥐고 분노로 몸을 떨었다.

지금도 각지에서는 리스테르카를 흉내 낸 섀도의 연설이 계속되는 중이었으며, 신왕국 귀족들은 불안해하기 시작했다.

더욱이 섀도로 인해 『성식』의 정보도 알려진 탓인지 학원 학생들도 의기소침한 모양이었다.

학원이 평소처럼 떠들썩하지 않은 것은 그 탓이었다.

"그렇다면 이 성채 도시에도 있는 거냐? 『창조주』의 대변자라는 환신수 말이다."

"있기는 한데, 좀 진정해."

잠옷 차림으로 노여워하는 리샤 옆에서 크루루시퍼는 끝까지 냉정하게 타일렀다.

"이런 상황에서 진정할 수 있겠느냐?! 붙잡힌 룩스만이 아니라, 신왕국 자체가 위기에 빠졌는데!"

"그래서 진정하라는 거야. 이런 식으로 어떤 것도 내버려둘 수 없는 상황을 만드는 게, 상대가 노리는 바니까."

"그게 무슨 소리지……?"

이해 안 된다는 표정으로 묻는 리샤를 보며 파란 머리카락의 소녀는 등허리를 곧추세웠다.

"『칠용기성』이 붙잡혔다는 얘기를 듣고도 아무 위화감을 못 느꼈다면, 너도 아직 만전의 상태가 아닌가 보네. 그렇게 머리가 나쁘진 않잖아? 지휘관으로서의 너는."

"으음……"

크루루시퍼의 쿨한 일침을 듣고 리샤는 다시 생각해보았다.

마르카팔 왕국의 폐도 게르니카.

『대성역』 공략을 위해서 그곳을 거점으로 삼고 포진한 세계 연합의 정예부대.

그곳에 있던 『칠용기성』은 『창조주』에게 일망타진 당했다.

룩스가 소집명령을 받고 그곳에 가자마자, 순식간에.

"확실히 이상하군……. 룩스가, 그 『칠용기성』 녀석들이 간단히 붙잡히다니—"

물론 리샤도 그들이 모든 상황에 대응할 수 있을 정도로 만능이 아니라는 것은 이해하고 있다.

신장기룡을 장착하기 전에 기습당하는 등, 특수한 상황에서 당했을 가능성도 당연히 있을 법하다.

그런 일이 일어나지 않도록 대책도 세워두었을 테지만, 붙잡혔다는 소식이 잘못된 게 아니라면 『창조주』들은 사전에 준비를 하고 『칠용기성』을 제압한 것이 분명하다.

"그렇지? 하지만 그 이상으로 이해 안 되는 점이 있어. 어째서 그녀들은 『칠용기성』을 처치하지 않는 걸까? 세계 연합이 가진 최대 전력인데."

"……?!"

크루루시퍼의 지적에 리샤는 퍼뜩 깨달았다.

붙잡는데 성공한 적의 전력을 남겨둘 이유는 몇 가지 있다. 그 중에서 이 상황과 가장 잘 부합하는 것이라면—.

 "아직 우리가 남아있기 때문, 인가……?"

 "그럴 가능성이 가장 높겠지. 유독 신왕국에 섀도라는 환신수를 많이 투입한 점을 봐도—."

 신왕국 성채 도시의 『기사단』에는 신장기룡 사용자가 많이 모여 있다.

 『창조주』가 최대의 조커를 동원해서 『칠용기성』이라는 카드를 손에 넣었다면, 그것을 이용해서 리샤 일행도 처리하고 싶을 것이다.

 아직 완전히 해방하지 못한 『대성역』의 공략.

 『창조주』들의 최대의 비원을, 만에 하나라도 빼앗기지 않기 위해서.

 "그 녀석들은 우리의 이목을 다른 곳으로 돌리고 냉정함을 빼앗기 위해서, 섀도를 이용한 선동작전을 미리 준비해두었다—이거냐?"

 "어디까지나 추측 영역, 이지만. 지배구조를 재편하겠다는 말도, 진심일지도 몰라. 하지만 만약 그럴 생각이 없더라도 장기적으로 선동이 계속된다면 인상의 악화는 피할 수 없겠지. 만약 폭동이 일어난다면 그쪽에도 전력을 할당해야만 해."

 "어떻게 흘러가건 간에 적에게는 유효한 작전이란 말이로군."

 환신수를 계속 조종하면서 복잡한 강습을 시도하려면 뿔피리를 통해 지속적으로 명령할 필요가 있다.

그러나 이번에 나타난 새도는 한 번 기억한 명령을 계속 반복수행할 뿐이라서 손이 덜 간다.

『창조주』의 부하나 협력자의 숫자가 적다고 해도 실행할 수 있는 것이다.

"좋아! 그렇다면 우리가 할 일은 하나로군. 『창조주』 녀석들이 앞서나가지 못하게 주의하면서 룩스— 가 아니라 『칠용기성』을 구출하자고!"

리샤가 주먹을 불끈 쥐자 크루루시퍼가 미소 지었다.

"그래. 그렇게 하자고 얘기가 정리돼서, 세리스 선배랑 피르히는 이미 아침 일찍 마르카팔 왕국으로 출발했어."

"—아니, 뭐라고?!"

의욕이 넘치던 리샤는 그 말을 듣고 멍한 표정을 지었다.

"어떻게 된 거야! 신왕국 공주인 나를 놔두고 먼저 가다니!"

"어쩔 수 없잖아. 『창조주』가 정한 12일짜리 카운트다운은 이미 시작되었고, 적을 조사하는 데도 시간이 필요한걸. 그리고 출발한 지 아직 한나절밖에 안 지났으니, 지금 출발하면 합류할 수 있을 거야."

크루루시퍼는 시원스럽게 대답했다.

"솔직히 밑조사를 생각하면 특장형 신장기룡 《야토노카미》를 가진 요루카도 동행해줬으면 하는 심정이지만, 그녀는 아직 치료가 안 끝났거든. 일단은 트라이어드랑 학원에서 대기하다가, 우리가 먼저 출발한 뒤에 따라올 수밖에 없을 것 같아."

"그렇군……."

심호흡을 몇 차례 반복하며 리샤는 초조해지려는 마음을 다스렸다.

지금 상황에서 최선의 방법은 그것밖에 없어 보였다.

한시라도 빨리 룩스를 구하고 싶었지만 서두르다가 일을 그르칠 수는 없었다.

신왕국의— 아니, 세계의 운명은 리샤 일행이 쥐고 있으니까.

"그럼 가자, 크루루시퍼! 세 시간 후에 학원에서 출발하겠어! 그때까지 준비해두라고!"

"언제라도 가능해. 지금 당장 그를 구하러 가고 싶은 마음을 참고 있는 건 나도 마찬가지니까."

리샤의 말에 크루루시퍼가 대답하고 이야기가 정리되었다.

그리고 그때 마침 문을 노크하는 소리와 티르파의 목소리가 들렸다.

"헬로~. 리샤 님, 몸은 좀 어떠세요—?"

병문안을 온 트라이어드에게 장의를 가져다 달라고 부탁한 리샤는 빠르게 잠옷을 벗어던지고 갈아입기 시작했다.

"이거 참, 공주가 기껏 일어났는데 저번 전투를 치하할 짬조차 없다니."

어쩐지 곤란하게 느껴지는 미소를 지으며 가장 연장자인 샤리스가.

"Yes. 하지만 리샤 님 답다고 생각합니다."

평소처럼 냉정한 표정과 말투로 녹트가.

"뒷일은 맡겨주세요. 요루카가 깨면 우리도 도와주러 갈 테니까!"

그리고 용기를 주는 듯한 밝은 미소를 머금은 티르파가 말했다.

라피 여왕에게 보낼 편지를 쓰고 트라이어드와 짧게 회의한 다음, 리샤는 크루루시퍼의 《파프니르》에 안겨 마르카팔 왕국으로 출발했다.

학원 안뜰에서 두 사람을 배웅한 후 트라이어드는 서로 마주보았다.

"떠나버렸군요……."

왠지 모르게 쓸쓸함이 느껴지는 눈으로 하늘을 올려다보며 녹트가 중얼거렸다.

지난번 헤이즈와 『용비적』 습격사건 때도 그랬지만, 역시 중요한 상황에서 그녀들은 뒤쳐지고 있었다.

그게 싫은 것은 아니었다.

강자만으로 병참이 성립되지 않는다는 사실을 신왕국군 부사령관인 아버지를 둔 샤리스는 당연히 알고 있었으며, 티르파나 녹트도 다르지 않았다.

그러나 그것과는 별개로 속이 답답한 것 또한 사실이었다.

리샤에게 말할 틈은 없었지만, 그녀가 준 새로운 힘도 겨우 쓸 수 있게 된 참이었다.

"우리도 도우러 가겠다……. 말이야 그렇게 해도, 『칠용기성』을 가뿐하게 제압할 정도의 상대에게 우리 힘이 통할까?"

"뭐야, 샤리스도 참. 겁먹었어? 새삼스럽게 왜 이러실까?"

"Yes. 그러는 티르파도 떨고 있는 것 같습니다만?"

"엑, 아니거든?! 이건 그냥 추워서 그런 거라구!"

"하하핫. 그럴 땐 거짓말로라도 전투에 대한 흥분으로 떨린다고 해야지. 폼이 안 나잖아."

녹트와 티르파의 대화를 지켜보던 샤리스는 미소 지었다.

따라잡기 위해서 노력을 거듭해도 그녀들과의 차이는 벌어질 뿐이다.

그래도 열등감 때문에 고민할 정도는 아니었다.

자신들의 힘 또한 필요할 때가 있을 것이라고 세 소녀는 믿었다.

그래서 초조한 마음을 다스리며, 요루카가 깨어나기를 묵묵히 기다리기로 했다.

그녀와 함께 룩스를 구출하러 가기 위해서.

†

리샤와 크루루시퍼가 신왕국에서 출발했을 무렵.

마르카팔 왕국, 폐도 게르니카.

우중충한 회색으로 뒤덮인 폐도의 하늘.

고성과 세계 연합이 포진한 요새 사이의 전장에서 환신수와 기룡사들이 날아다니고 있었다.

기룡식포^{캐논}의 포성, 기룡아검^{블레이드}이 부딪치는 소리, 기룡포효^{하울링 로어}가 대기를 뒤흔드는 소음이 간헐적으로 울려 퍼졌다.

그 상공에 떠 있는『천궁』— 유적과 같은 구시대의 유산인 새하얀 공중 궁전에서『창조주』들은 전장을 내려다보았다.

선내 관제실에 있는 사람은 신성 아카디아 황국 제1 황녀 리스테르카 레이 아샤리아.

『대성역』과 교신하여 힘을 일부 이용할 수 있는 신탁의 무녀.

피부, 머리카락, 드레스, 모든 것이 티 없이 새하얀, 인간이 아닌 것처럼 아름다운 소녀.

그리고 충실한 파란 머리카락의 시녀,『열쇠 관리자』미스시스 V 엑스퍼.

그리고 리스테르카를 에스코트하는 후길 아카디아.

구 아카디아 제국의 제1 황자이자 룩스의 형이다.

"생각만큼 쉽지는 않네요. 우두머리만 제압하면 전부 와해 되는 게 전장의 법칙이라고 배웠는데 말이죠⋯⋯?"

후길 쪽으로 슬쩍 시선을 보내며 리스테르카는 쓴웃음을 지었다.

리스테르카를 위시한『창조주』들에게『칠용기성』과 고성 앞 요새에 포진한 정예부대는 성가신 존재였다.

『대성역』에 도달하기 위해서 세계 연합의 협력은 필수였다.

『성식』의 위협을 뚫고 유적을 공략하여 남은 라그나뢰크를 전부 해치우려면 그들의 힘을 빌릴 수밖에 없었다.

그러나— 그것과는 별개로 그들에게『대성역』의 고대 유산 과 기술을 나눠줄 생각은 처음부터 없었다.

리스테르카에게『창조주』란 유일하며 절대적인 지배자.

비록 숫자는 적으나 『휴먼 포드』에서 눈 뜨는 날을 기다리는 동족도 있다.

그러니 오롯한 황족인 자신이 그들에게 꼬리를 살랑거리며 권력을 나눠주는 것은 어불성설이다.

『배신자 일족』에게 공격당해 숫자가 줄어들고 지배자 자리를 빼앗긴 자신들이 다시 세계에 군림할 기회를 양보할 수는 없었다.

그래서 자신의 여동생— 에이릴을 적의 연합에 스파이로 잠입시키고, 『칠용기성』을 속여서 포박했다.

나아가서는 세계의 왕후귀족들을 일소하여 다른 지배자의 힘을 빼앗을 예정이었다.

그러기 위한 전략을 지금까지 세웠고, 단숨에 실행했다.

여기까지는 리스테르카의 예정대로 흘러갔지만 앞으로가 문제였다.

"그들이 거느린 부하들의 수준이 예상보다 뛰어나네요."

리스테르카의 말에 시녀 미스시스가 대답했다.

"『대성역』을 공략하기 위해 모인 연합의 정예부대는 연대가 뛰어난 것은 아닙니다만, 조금도 동요하는 모습이 보이지 않습니다. 전체적인 지휘를 맡은 것은 『칠용기성』 대장 마기알카의 보좌관인 롤로트. 군을 통솔하는 것은 싱글렌 경의 보좌관 츠바이베르크인 것 같습니다."

마기알카와 싱글렌이 『창조주』의 손아귀에 떨어졌는데도, 남은 연합군이 무너지지 않은 것은 그들의 공로가 컸다.

"주군이 적진에 사로잡혔건만 아무도 냉정함을 잃지 않은 것은 예상 밖이었습니다. 아마 두 사람은 목숨을 잃는 것도 염두에 두고서 지시를 내렸겠지요."

싱글렌과 마기알카는 심복인 보좌관을 미리 그렇게 교육해 두었다.

"얕보고 있던 건 아니지만, 평범한 인간 치고는 제법이네요."

공황에 빠진 잔존부대가 허둥지둥 달려드는 순간 환신수와 함정으로 받아칠 작정이었다. 그러나 그들은 거점인 요새를 되찾은 다음 침착하게, 천천히 고성 쪽으로 진군을 개시했다.

이대로 신왕국의 실력자들과 합류하게 두면 일이 틀어질지도 모른다.

폐도 게르니카의 고성 지하에는 『대성역』 본체가 존재한다.

주로 외관을 구성하는 표층부와 내부의 심층부로 나뉘어 있으며, 중추는 심층부에 숨겨져 있다.

표층부는 리스테르카의 능력으로 어느 정도 기능을 조작할 수 있지만 심층부에는 직접 가야만 한다.

따라서— 이대로라면 자신들의 『대성역』 공략을 방해받게 될 터였다.

"……후길, 당신의 의견을 들려주겠어요? 제 영웅의 조언을 듣고 싶어요. 『대성역』 공략도 아직 갈 길이 머니까."

"……."

직접 말을 건네자 후길은 주군 쪽으로 고개를 돌렸다.

조용히 미소를 머금은 얼굴.

미스시스는 그 표정에서 후길의 감정을 읽어낼 수 없었다.

"『제국의 흉인』— 기룡사 키리히메 요루카의 고향인 고도국을 알고 계십니까?"

후길이 온화한 말투로 이야기를 시작하자 리스테르카는 잘 모르겠다는 것처럼 고개를 갸웃했다.

"이야기는 들었습니다만, 그녀가 무슨 관계가 있나요?"

"말판을 이용한 체스라는 놀이 대신에, 고도국에는 장기라는 놀이가 있다고 합니다. 두 놀이에는 차이점이 있는데, 가장 큰 차이는— 왕을 제외한 말을 다시 이용할 수 있다는 점이죠."

"그 이야기가 현재 전황이랑 무슨 상관입니까?"

평소처럼 냉정한 표정을 지은 시녀 미스시스가 끼어들었다.

그러자 후길은 어디에서 가져왔는지 체스말— 폰을 품에서 꺼내 테이블 위에 놓았다.

"내가 한 말과 그대로 이어지지. **빼앗은 말을 이용할 수 있다고 했잖아**, 미스시스."

"아하, 그런 방법이 있었군요."

짝, 가볍게 손뼉을 친 리스테르카는 우아하게 미소 지었다.

하지만 그녀와는 다르게 미스시스는 미심쩍은 표정을 지었다.

"붙잡은 『칠용기성』을 이용하시려는 겁니까? 방법이야 있습니다만, 위험합니다. 만에 하나라도 그들의 구속이 풀리게 된다면……."

"괜찮아요, 미스시스. 그럼 그들과 교섭을 시작해보지요.

헤이즈가 **그**를 죽이기 전에—."

후길의 조언을 듣고 리스테르카는 기분 좋게 연락할 준비를 시작했다.

미스시스도 그 이상은 참견할 수 없었다.

"그럼, 바로 부탁해봐야겠네요. 제 충실한 여동생에게—."

코랄이라는 반하임 공국의 왕족으로 위장한 채 활동하던 『창조주』 제2 황녀 에이릴 뷔 아카디아와 제3 황녀 헤이즈 뷔 아카디아.

리스테르카는 그녀들이 있는 고성 1층으로 통신을 보냈다.

『창조주』 일동이 움직이기 시작하기 수십 분 전, 룩스는 감옥 안에서 눈을 떴다.

Episode 1 두 번째 목걸이

차갑고 울퉁불퉁한 돌바닥의 감촉.

나무 수갑에 구속된 채 높이 매달린 양팔이 약간 아팠다.

동물 기름 램프의 은은한 빛을 느끼고 룩스는 살짝 눈을 떴다.

"여긴…… 어디, 지?"

폐도 게르니카의 요새와는 분위기가 달랐다. 어쩐지 그리움이 느껴지는 곰팡이 냄새.

혁명 직후에 룩스는 황족 생존자로서 아이리와 함께 감옥에 유폐되었다.

그리고 왕립 사관 학원^{아카데미}의 감옥에 한 번 갇힌 이후로 처음일까?

하지만 그때는 대욕탕을 훔쳐보러 온 범죄자로 오해받아 붙잡혔음에도 불구하고 분위기는 왠지 모르게 평온했다.

반면에 지금은 싸늘한 적의가 살갗을 찔러대고 있었다.

룩스가 문득 그런 생각을 떠올렸을 때, 눈앞에서 누군가가 움직이는 기척이 났다.

"포로 주제에 세상모르고 퍼질러 자다니, 아주 여유가 넘치시는군?"

촤악!

"으……?!"

머리부터 냉수를 뒤집어쓴 룩스는 신음했다.

어느 틈에— 아니면 처음부터 거기에 있었던 것일까?

장의 위에 로브를 걸친 은발 소녀.

회색과 푸른색, 서로 다른 색으로 빛나는 눈동자가 낯익었다.

"헤이즈…… 살아 있었나."

신성 아카디아 황국의 제3 황녀이자 각국에서 암약하며 전쟁의 불씨를 흩뿌리고 다닌 무기상인.

예전에 헤이부르그와 구제국의 잔당을 이끌고 신왕국의 괴멸을 꾀했던 숙적이다.

룩스는 왕도 로드갈리아에서 벌인 결전 당시에 그녀가 전사했을 거라고 생각했지만—.

"얼굴의 그 문신은, 세례인가……."

아마도 인체를 강화하는 비약, 엘릭시르를 투여하는 시술을 받고 부활한 것이리라.

이전보다 더욱 흉악한 기운이 밴 미소를 지으며 사슬에 구속당한 룩스 앞으로 다가갔다.

"지옥에서 돌아왔다고, 왕자 나으리. 『세례』를 통해 억지로 부활한 내 수명은 그리 길지 않지만, 그동안 실컷 맛보여주지. 자진해서 죽기를 바랄 정도의 생지옥을 말이야!"

"……."

"네놈이나 신왕국을 개박살 내는 정도로는 분이 안 풀려.

네놈을 아끼는 동료들까지 철저하게 유린해주지. 그때를 위해서 네놈은 반만 죽이는 정도로 봐주마."

"되살아난 네가 『용비적』과 교섭해서 소피스를 배신하게 한 거냐?"

"자기가 어떤 처지인지 아직 모르는 모양이군!"

짜악! 헤이즈가 꺼낸 채찍이 유연하게 휘면서 룩스의 살갗을 때렸다.

"큭……!"

장갑기룡을 착용 중이 아니라 아무 강화도 되지 않은 장의가 찢어지고 피가 배어 나왔다.

룩스는 격통에서 비롯된 신음을 참지 못했다.

"아직 소리 지르긴 일러. 시간은 충분하거든. 그러니 일단 연습하자고. 고통을 각인시키는 것부터 시작해보실까."

"뭘, 하려는 거야……?"

통증 때문에 헐떡거리는 룩스 앞에 헤이즈는 기묘한 목걸이를 내밀었다.

그것은 룩스가 차고 있는 죄인의 목걸이와 비슷한 크기였지만 몹시 살벌하게 느껴졌다.

말라붙은 피처럼 검붉은 금속 고리.

찌르는 듯한 불쾌감이 목에 딱 달라붙은 직후에 룩스의 수갑이 풀렸다.

"……?!"

너무나도 갑작스럽게 풀려난 룩스는 의심을 품었다.

오랫동안 구속당한 탓에 몸이 굳긴 했지만 지금이라면 헤이즈를 제압할 수 있었다.

"풀어줬다고 해서 움직일 생각은 접는 게 좋을 걸, 왕자 나으리. 지금부터 너는 채찍을 맞아야 하거든. 그러니 꼼짝 말라고, 역적새끼야!"

입꼬리를 비틀어 올린 헤이즈는 다시 채찍을 힘껏 휘둘렀다.

룩스가 반사적으로 몸을 비튼 순간, 감전되는 듯한 열기와 충격이 몸을 관통했다.

"크, 아아아앗⋯⋯?!"

신경이 통째로 불타는 듯한 격통이 퍼지며 의식이 희미해졌다.

헤이즈는 그 직후에 다시 채찍을 휘둘렀지만 룩스는 아픔을 느끼지 못했다.

십여 초를 돌바닥 위에서 몸부림친 후에야 가까스로 호흡을 가다듬을 수 있었다.

"크크큭. 어때? 이 특제 목걸이—『쐐기』의 맛이. 하지만 몇 번씩이나 즐길 수 있을 거라는 생각은 말라고. 그 목걸이를 찬 채로 우리의 명령을 거역하면, 단 세 번 만에 목숨이 끊어질 정도로 위력이 올라가니까."

"으, 아. 하아, 하아⋯⋯."

감옥 바닥 위에 엎드린 채 룩스는 변변한 신음조차 흘리지 못했다.

하지만 말하는 내용은 이해했다.

아마도 헤이즈를 비롯한 『창조주』의 의지를 파악해서 전격을 방출하는 구조이리라.

"멋대로 뒈지기라도 하면 곤란하니까 한 번 더 알려주지. 우리의 명령을 거역하면 전기가 흐른다. 그 목걸이를 직접, 혹은 타인이 풀려고 해도 전기가 흐르지. 우리에게 반격 의지를 품어도 전기가 흐르고. 이 고성에서 떨어져도 전기가 흐른다. 이상. 이해했다면 지금 당장 일어나셔. 한 번 더 맛보고 싶다면 또 모르겠다만."

"윽……?!"

격통에 몸부림치던 룩스는 헤이즈의 험악한 표정을 보고 안색을 바꾸었다.

이곳이 폐도 게르니카의 고성이라는 정보도 놀라웠지만, 지금 헤이즈가 한 말이 사실이라면 자신이 실행할 수 없는 명령이라 해도 거역하면 전기가 흐른다는 소리였다.

지금 전기가 흐른다면 충격을 못 버티고 죽을지도 모른다.

그것만은 어떻게든 피해야 했다.

"『지금 당장』이라는 명령은 애매하긴 한데, 늦어도 5초 이내라고. 왕자 나으리라도 그 정도 상식은 알겠지?"

"……크, 아아아앗!"

비웃는 듯한 헤이즈의 질문에 룩스는 온 힘을 쥐어짜냈다.

마비된 다리를 때려서 그 고통으로 감각을 되찾았다.

5초가 지나기 전에 겨우 일어나자, 그 모습을 지켜보던 헤이즈가 박수를 쳤다.

"크크큭. 훌륭하군, 훌륭해. 아주 잘 하잖아, 왕자 나으리.

하지만 진짜는 이제부터라고. 우리의 노예로서 제몫을 하려면 몇 가지 시련을 더 거쳐야 하거든."

"시련, 이라고……?"

"그래. 아까부터 보고도 못 본 척 하고 있는 박정한 놈을, 네 손으로 벌 줘야 하지."

"그럴 리 없겠지만, 그 박정한 놈이라는 게 혹시 날 가리키는 거냐? 잘나신『창조주』양반."

어딘지 모르게 거칠고 불량스럽게 들리는 목소리가 감옥 안에서 메아리쳤다.

정신이 들자마자 헤이즈가 눈앞에 있었기 때문에 눈치채지 못했지만, 근처에는 반하임 공국의『칠용기성』그라이퍼도 사슬에 묶여 있었다.

룩스는 황급히 주위를 둘러보았지만 나머지 멤버들은 이 감옥에 없었다.

어디 다른 곳에 격리되어 있는 것일까? 아니면—.

"미리 말해두겠는데, 딱히 못 본 척 하던 건 아니야. 네 악취미에 어울려줄 생각이 없었을 뿐이다."

조금 전 룩스의 참상을 보았을 텐데도 여전히 불손한 태도를 보이고 있었다.

하지만 헤이즈는 화내기는커녕 오히려 즐거워 보이는 표정으로 그라이퍼의 얼굴을 응시했다.

"악취미라—. 설마 내가 이대로 네놈을 채찍으로 때릴 거라고 생각했냐?"

"얼마든지 해보셔. 난 터프하니까 때리는 보람이 있을 걸?"

"크, 크크크크…… 그렇다고 하는군. 룩스, 얼른 때려주라고."

"……뭣?!"

헤이즈는 갑자기 채찍을 반대로 쥐더니 손잡이 쪽을 룩스에게 내밀었다.

그것을 본 룩스는 당황하는 동시에 헤이즈의 사악한 의도를 깨달았다.

"무슨, 속셈이지?"

룩스가 괴로운 표정으로 되묻자 헤이즈는 입술을 비틀며 히죽 웃었다.

"이보셔, 왕자 나으리. 아까 내가 한 말 못 들었냐? 그 자식을 채찍으로 때리란 말이다. 아무리 네가 무능한 가짜 왕자라 해도, 그 정도는 할 수 있을 거 아냐?"

"……."

"핫, 동료끼리 싸우게 해서 결속을 무너뜨리려는 거냐? 안 됐지만 우리 『칠용기성』은 대충 끌어모은 오합지졸이라고? 방식을 잘못 고른 것 같은데?"

헤이즈의 명령을 듣고 룩스는 침묵했지만, 그라이퍼는 전혀 동요하지 않고 어처구니없다는 투로 중얼거렸다.

언제든지 해보라는 태도였지만 룩스는 움직이지 않았다.

"야, 뭐해? 얼른 때리지 않고. 그 이쑤시개 같은 팔뚝으로 채찍을 휘둘러봤자 간지럽기만 할 텐데."

마치 깔보는 것처럼 가벼운 말투로 그라이퍼가 재촉했다.

하지만 룩스는 알고 있었다.

그것이 그라이퍼 나름의 배려임을.

룩스의 죄책감을 덜어주기 위해서 일부러 도발하고 있음을.

채찍질 당하는 것과 목걸이—『쐐기』의 전기 충격을 비교하면 명백히 후자 쪽이 강력하다.

게다가 룩스가 받게 될 두 번째 전기 충격은 처음보다 위력이 세다.

『칠용기성』 전체를 생각하면 이대로 그라이퍼를 채찍질하는 쪽이 옳은 선택이라는 점은 룩스도 이해하고 있었다.

그러나—.

"얼른 때리란 말이다! 네 의지로, 아무 잘못 없는 그 녀석을 때려눕혀! 빨리 하라니까, 썩을 왕자! 네 안위를 위해서 그 자식에게 고통을 주라고!"

"——."

룩스는 숨을 깊게 들이쉰 다음 채찍을 들어 올렸다.

그라이퍼는 두려워하는 기색을 조금도 보이지 않았지만, 그럼에도 차마 휘두를 수 없었다.

"—으, 크아아아아앗……!"

그 순간 룩스의 눈앞에서 불꽃이 튀고, 감옥 내부가 섬광으로 밝아졌다.

"야 이 멍청한 자식아!"

『쐐기』에서 발생한 어마어마한 전격을 맞고 쓰러진 룩스를 보며 그라이퍼가 혀를 찼다.

결국 할 수 없었다.

자신보다 고통이 덜할 것이라는 사실을 알아도, 룩스는 동료에게 손을 댈 수 없었다.

'이게, 두 번째 전격이지. 세 번째를 맞으면 죽어버릴 거야……'

흐릿해지는 의식 속에서 룩스는 자신을 내려다보는 악마의 미소를 보았다.

"크크크크크. 봐주는 건 꿈도 꾸지 마시지. 미끼가 교육 받다가 죽어버리면 곤란해. 훨씬 더 고통을 줘야 하니까. 네놈의 추종자들이 쉽게 낚이게 말이야!"

'그런가, 헤이즈의 목적은……!'

룩스를 이용해서 리샤를 비롯한 『기사단』을 섬멸하는 것.

그녀들을 함정에 빠뜨리기 위해서 룩스를 살려두고 싶은 것이다.

그때까지는 이런 고문이 계속되리라.

두 번째 전기 충격을 받고 신경이 마비되어 사지의 감각이 사라졌다.

의식은 그대로 어둡고 깊은 늪 속으로 가라앉았다.

†

"크, 흡……!"

얼얼한 아픔을 느끼며 룩스는 깨어났다.

정신을 잃은 후 그대로 자게 놔둔 것인지 낡고 칙칙한 나무 천장이 눈에 들어왔다.

"컥! 으윽……!"

바짝 긴장한 채 숨을 들이마신 순간 엄청난 격통이 밀려오며 호흡이 멎었다.

하지만 느긋하게 괴로워할 여유는 없었다.

헤이즈가 눈앞에서 또다시 명령을 내리려고 한다면 어떻게든 움직여야 했다.

그러나 다음에 같은 명령을 받는다면 자신이 과연 할 수 있을까?

저항하지 않는 무고한 사람에게 일방적으로 고통을 가하는 행위를—.

그런 두려움을 품고 몸을 일으키려는 룩스를 옆에서 누군가가 손을 뻗어 제지했다.

"아직 안 돼! 움직이지 마……."

소파에 누워 있던 룩스는 바로 옆에서 자신을 내려다보는 기척을 느끼고 긴장했다.

옆에 있는 게 적이 틀림없다고 생각하며 경계했는데, 그쪽으로 눈을 돌리자 낯익은 옆모습이 보였다.

"너는, 코랄……?"

중성적인 용모, 아니— 이제는 여성적임을 확실하게 알 수 있는 그 이목구비는 분명히 또래 소녀의 모습이었다.

아름다운 은발을 세 가닥으로 땋고, 회색과 녹색으로 빛나는 비대칭 눈동자는 구시대의 황족인 『창조주』라는 증거.

신성 아카디아 황국 제2 황녀, 에이릴 뷔 아카디아.

며칠 전에 전사했다고 생각한 코랄 대신에 나타나 룩스와 그라이퍼를 제압한 장본인이다.

"아직도, 그 이름으로 불러주는구나. 너를 배신하고, 이런 상황에 빠뜨린 나를……."

어쩐지 쓸쓸하게, 애달프게 느껴지는 눈동자로 소녀는 룩스를 내려다보았다.

하지만 같은 『창조주』임에도 불구하고 헤이즈 같은 적의는 전혀 느껴지지 않았다.

그저 천천히, 부드러운 손길로 화상 입은 피부에 약을 발라줄 뿐이었다.

이곳은 조금 전까지 룩스가 있던 감옥이 아니라, 같은 고성 안에 있는 집무실인 듯했다.

낡은 가구로 둘러싸인, 먼지 냄새 나는 소파에 누운 채였다.

장의를 입은 룩스와 에이릴을 제외하면 아무도 없었으며, 평온한 분위기가 흐르고 있었다.

"장의도, 네가 갈아 입혀준 거야?"

헤이즈에게 채찍질 당한 탓에 너덜너덜해진 장의는 어느새 새것으로 바뀌어 있었다.

"그렇긴 한데— 앗, 미안해! 상처에 약을 꼼꼼하게 바르기가 힘들어서……! 딱히 이상한 마음을 품지는 않았어. 그…… 조금 보기는 했지만."

뺨을 살짝 물들이고 이리저리 눈을 굴리는 에이릴을 보며 룩스는 쓴웃음을 지었다.

　외모가 달라지고 『창조주』의 제2 황녀라는 정체를 밝혔음에도 불구하고 예전과 같은 분위기로 룩스에게 말하고 있었다.

　"그보다도, 정말 미안해. 내가 있었는데도 동생의— 헤이즈의 난폭한 행동을 말리지 못해서."

　소녀는 침통한 표정을 지으며 고개를 깊이 숙였다.

　그 모습을 보고 조금 전 일이 에이릴이 모르는 사이에 일어난 사건임을 룩스는 깨달았다.

　"코랄…… 아니, 에이릴. 너는 대체……?"

　"나는, 처음부터 이런 사명을 갖고 있었어. 이 『세례』의 힘으로 유적의 능력을 사용해서 정체를 숨겼고…… 처음부터 우리 『창조주』들에게 유리하게끔 전황을 조작하는 게 목적이었지."

　에이릴은 나지막한 목소리로 이야기를 시작했다.

　"룩스 군이 『칠용기성』, 그리고 신왕국의 중심인물이라는 사실을 알게 된 뒤로는 그 전보다 더욱 네게 접근해서 동향을 감시했어. 하지만 모든 유적이 해방됐을 때, 더는 코랄이라는 신분으로 있을 수 없게 되었지."

　"……."

　『세례』를 거쳐 유적이 가진 힘을 일부 이용해서 인식을 조작하는 의태능력.

　에이릴은 인간의 인지능력을 현혹시키고 착각에 빠뜨리는 그 힘을 최대한 활용해서 『칠용기성』의 포획에 성공했다.

그 대가로 힘을 모조리 써버렸다는 말일까?

아니면 더 이상 속일 필요가 없어졌다는 말일까?

"나는 너희를 속이고 공격한 비겁자이자 적이야. 원망 받는 게 당연하지. 하지만 난 너희를 다치게 할 생각은 없어. 헤이즈는 네가 『배신자 일족』이라는 이유로 미워하고 있지만, 그것도 사실은 잘못됐어."

"잘못돼……?"

"응. 왜냐하면 그건―."

"얼씨구, 동생 장난감을 빼앗아서 가지고 노는 게 재밌나 봐? 언니."

"……?!"

뒤에 있는 문이 난폭하게 열리더니 로브를 걸친 헤이즈가 들어왔다.

룩스는 반사적으로 경계했지만 에이릴은 의연한 표정으로 헤이즈 앞을 막아섰다.

"여긴 내 관할이야. 지금부터 그 이야기를 할 때까지는 건드리지 마."

"핫!"

에이릴을 본 헤이즈는 짜증 섞인 코웃음을 쳤다.

"동료 놀이 하는 동안에 정이라도 드셨수? 아무래도 우리 일족은 남자한테 약한가 보네. 아니면 상냥하신 언니 개인의 인품일까?"

제2 황녀인 에이릴에게 헤이즈는 불손한 태도로 이죽거렸다.

처음에는 단순히 원한 때문이라고 생각했지만, 그 성격이 예전보다 거칠어진 것처럼 느껴지는 이유는 그저 룩스에 대한 증오 탓만은 아닌 것 같았다.

아마도 부활하기 위해서 받은 『세례』의 영향이리라.

엘릭시르는 투여 받은 사람의 정신에도 영향을 끼쳐서 부정적인 감정을 증폭시킨다.

그로 인해 헤이즈의 흉포함과 과격함도 강해진 것이다.

그런 헤이즈를 상대하는 에이릴은 어디까지나 냉정하게 대답했다.

"어느 쪽도 아니야. 『칠용기성』과 그는 앞으로 있을 교섭에서 사용해야 하는 우수한 카드야. 네 변덕스런 고문 때문에 잃는 일은, 만에 하나라도 있어서는 안 돼."

"크크크크크. 그렇다면 어서 리스테르카 언니의 지시대로 하라고. 난 좀이 쑤셔서 못 견디겠으니, 일단 전장에 다녀와야겠어."

'전장……?'

헤이즈의 대답을 듣고 룩스는 속으로 작은 의문을 품었다.

이곳이 폐도 게르니카의 고성이라면 지하에 존재한다는 『대성역』의 공략을 『전장』이라고 부르는 것은 좀 이상하다.

조금 전 에이릴이 『『칠용기성』을 포획했다』라고 한 점을 더해서 생각하면, 아마 세계 연합의 정예부대는 아직 요새에 남아 있을지도 모른다.

헤이즈는 그들을 진압하러 가려는 것일까?

"마음대로 해. 하지만 헤이즈. 네 몸 상태가 어떤지 정도는 알고 있겠지? 그 몸으로 전력을 다해서 싸울 수 있는 건 기껏해야 한두 번 정도야. 『대성역』 공략을 앞두고 죽고 싶어?"

"걱정 접으셔. 환신수를 살짝 부추기는 정도니까. 《니드호그》도 아직 준비가 덜 됐고 말이지."

"……."

헤이즈가 사용하던 신장기룡 《니드호그》.

예전에 리샤와 함께 파괴한 그것이 부활을 앞두었다는 정보를 굳이 밝힌 이유는 협박하기 위해서일 것이다.

조롱하는 듯한 눈으로 룩스를 내려다본 후 헤이즈는 방에서 나갔다.

"후우……."

폭풍 같은 긴장감이 가시자 에이릴은 한숨을 내쉬었다.

그녀는 분명 우호적이었지만 『창조주』라는 스탠스는 유지하려는 것 같았다.

하지만 어째서일까.

아직 그녀를 믿고 싶다고 생각하는 룩스의 마음은 현실도피에 불과한 것일까?

"미안하지만, 그렇게 됐어. 우리 『창조주』는 누구보다도 먼저 『대성역』을 공략할 필요가 있어. 그러기 위해서 너희를 구속하고, 이용하라는 지시를 받았지. 그러니까 룩스 군, 너는 계속 움직여줘야 해."

"내게, 뭘 시키려는 거야?"

차분하게 묻는 룩스를 보며 에이릴은 대답했다.

"나는 그라이퍼랑 싱글렌 경의 사슬을 풀고 올 거야. 여기 오른쪽 방에는 다른 『칠용기성』들이 있는데, 넌 거기 가서 그들을 데리고 와줘. 물론 전부 『쐐기』를 차고 있으니까 탈주는 생각하지 말고. 풀려고만 해도 전기가 흐르니까."

"……."

룩스는 말없이 고개를 끄덕이고 에이릴의 지시에 따르기로 했다.

어째서 여성 멤버들의 해방을 맡긴 것인지 약간 의문스러웠지만, 곧 그녀의 소소한 배려임을 이해했다.

『칠용기성』 중에서도 모두와 친한 룩스에게 구출을 맡겨 다른 사람들을 안심시키기를 바란다는 의미일 것이다.

"어디 보자, 여기가 맞나?"

룩스는 에이릴이 지시한대로 오른쪽 방— 고성 응접실로 보이는 장소의 문고리를 잡았다.

방 앞에 있는 커다란 상자 하나가 신경 쓰였지만, 괜히 손댔다가 전기가 흐르면 버틸 수 없기 때문에 무시했다.

심호흡을 한 다음, 살짝 긴장하며 문을 열었다.

"다들 여기 있어? 나 룩스인데, 들어가도…… 헉?!"

"——?! 꺄아아악……!?"

창문으로 햇빛이 들어오는 낡은 응접실.

그 안에 들어간 순간, 룩스는 예상치 못한 광경을 목격하고 얼어붙었다.

룩스는 소녀들도 헤이즈에게 고문 받지 않았는지 걱정했지만, 그것은 기우로 끝났다.

다들 검붉은 목걸이인 『쐐기』를 차고 있기는 해도 생채기 하나 없다는 것은 일목요연했다.

왜냐하면— 아무도 옷을 안 입고 있었으니까.

정확하게 말하자면 천 하나로 하반신을 가렸을 뿐, 그 외에는 실오라기 하나 걸치고 있지 않았다.

"허어—. 이런 상황에서도 엿볼 생각을 하다니. 내 연인도 참 걸물이로고."

알몸을 전혀 숨길 생각도 없는 것처럼 팔짱을 낀 소녀가 당당하게 웃었다.

『칠용기성』 대장인 마기알카 젠 반프리크.

실제로는 묘령의 여성이라고 하나, 그 용모와 자그마한 체구는 미성숙한 소녀처럼 보인다.

속옷은 끈으로 연결된 연한 노란색 천이었고, 팔짱을 낀 두 팔 아래로 생생하게 맥동하는 자그마한 가슴이 보였다.

"아니, 오빠 대체 뭘 생각하는 거야?!"

당황한 모습으로 볼을 부풀리며 화내는 소녀는 최연소 『칠용기성』인 메르 기잘트다.

웨이브가 진 아름다운 백금색 머리카락.

그리고 이목구비가 오밀조밀하고 앳된 얼굴은 수치심으로 발갛게 물들어서, 왠지 모르게 부도덕하게 느껴지는 매력을 자아내고 있었다.

속옷은 그녀의 피부처럼 새하얀 레이스로 되어 있었으며, 포인트로 들어간 작은 리본이 사랑스러웠다.

유미르 교국에서 일어난 사건 이후로 허물없는 사이가 되었기 때문에 룩스에게는 호의적이었지만, 아무리 그래도 부끄러운 것인지 난처한 표정을 짓고 있었다.

그녀의 가느다란 팔로도 숨길 수 있을 만큼 작은 가슴을 꼿꼿하게 가리고 있는 모습이 묘하게 사랑스러웠다.

"또 보았어. 역시 소년은 뼛속까지 변태……!"

무표정 사이로 수치심과 원망을 드러내고 있는 사람은 얼마 전 검을 맞댄 기억이 여전히 생생한 소피스 엑스퍼.

아무 장식 없는 검은색 팬티 한 장만 입고 양쪽 어깨를 감싸는 것처럼 팔을 교차하고 있었다.

룩스가 보지 못하게 하려는 것처럼 돌아서 있었지만 갈색 등허리가 요염했다.

그리고— 마지막으로 붉은 머리카락이 특징인 소녀, 로자 그랑하이드.

헤이부르그를 암암리에 지배하던 『악한 왕』 카렌시아에게 세뇌당해 악인으로 행동했지만, 이제는 원래 성격을 되찾았는지 부끄러운 것처럼 풍만한 가슴을 손바닥으로 덮어 가리고 있었다.

타오르는 것처럼 빨간 속옷도 인상적이었지만, 그 이상으로 하얗고 풍만한 가슴이 만들어내는 계곡에 룩스의 시선이 빨려들었다.

"룩스 님……?! 저, 저기, 제 몸을 원하신다면—."

"아니, 무슨 소리야 로자?! 숨기고 있는 걸 굳이 보여줄 건 없어! 난 그런 걸 원해서 온 게 아니라고!"

무슨 착각을 한 것인지, 순간적으로 눈을 동그랗게 뜬 로자는 가슴을 가리고 있던 손을 우물쭈물 치우려고 했다.

그 모습을 본 다른 소녀들은 깜짝 놀라면서 입을 모아 매서운 목소리로 말했다.

"……이 사람, 오빠 앞에서는 성격이 바뀌네?"

"그대도 여간내기가 아니로구먼. 쥐도 새도 모르게 로자와 그런 관계가 되었다니."

당황해서 목소리가 커진 메르 옆에서 마기알카가 즐거운 듯이 말을 이었다.

소피스는 약간 질린 듯한 눈초리로 치명적인 한마디를 중얼거렸다.

"소년은 학원에서 붙잡은 나를 욕보인 것만으로는 만족하지 못했구나……. 이건 또다시 야한 장난에 휘둘리는 흐름—."

"엑, 오빠?! 소피스한테 무슨 짓을 한 거야?!"

"룩스 님, 부, 부디 제게 자비를—."

"무어라? 저번에는 단둘이서 즐겼단 말인가? 그렇다면 나도 끼워주게나."

메르가 당황하는 와중에 로자는 더욱 착각하며 열띤 시선으로 룩스를 보았고, 마기알카는 도발하는 것처럼 룩스의 가슴을 손가락으로 간지럽혔다.

"그런 게 아니라니까요! 누가 이 상황 좀 어떻게 해줘어어어!"

당최 답이 없는 상황에 백기를 든 룩스가 소리치자 등 뒤의 문이 열리고 에이릴이 들어왔다.

"앗……."

"앗……!"

온화하던 에이릴의 표정이 경련하는 듯한 미소로 고정되었다.

그리고 잠시 룩스 뒤에 있는 반나체 소녀들을 번갈아 바라본 후, 이윽고 작은 한숨을 흘렸다.

"흐응—. 그렇단 말이지이."

웬일로 그녀답지 않게 싸늘하게 미소 짓더니 그대로 방에서 나가려고 했다.

"—아니! 잘못된 방향으로 이해하고 돌아가면 어떡해?!"

"느긋하게 즐겨도 된다고. 뭐, 난 딱히 캐물을 생각도 없으니까."

"화는 왜 내는 건데?! 대체 이게 어떻게 된 상황인지 가장 궁금한 건 나거든!"

왠지 모르게 험악한 눈초리로 바라보는 에이릴을 룩스는 허둥지둥 붙잡았다.

사실 『창조주』의 눈이 없는 쪽이 좋을 테지만, 이대로 홀로 방치된다면 버텨낼 재간이 없었다.

그때 갑자기 마기알카가 룩스와 에이릴 앞으로 다가왔다.

"자자, 둘 다 내 이야기를 들어보시게나."

문제의 『쐐기』를 찬 반나체 상태임에도 불구하고 당당한 행동거지였다.

"크크크. 그대들을 놀리는 게 즐거워서 가만히 있었네만, 이 기회를 놓치는 것도 아까우니 내 은혜를 베풀지. 아마도 이것은 그 입이 험한 무기상인의 모략일걸세."

"네……?"

"헤이즈의 모략? 그게 무슨—."

룩스가 의아한 표정을 짓고 에이릴이 되물었다.

그러자 마기알카는 문 밖을 가리켰다.

"근처에 상자가 하나 있지 않던가? 그 무기상인이 요 목걸이를 채우는 과정에서 우리의 옷을 벗겼다네. 뭐, 숨겨둔 무기 따위를 빼앗으려는 의도도 있었을 터이나, 그 뒤에도 옷을 입히지 않은 것을 보면 대충 예상이 가는구먼."

"그 애가, 대체 무엇 때문에……?"

에이릴은 당황했지만 룩스 역시 무슨 말인지 이해하지 못했다.

그러자 한숨을 내쉬고 고개를 절레절레 흔들며 마기알카는 어깨를 으쓱했다.

아무래도 좋은 문제이지만, 룩스 앞인데도 전혀 창피해하지 않는 탓에 여러 모로 보일 것 같았다.

"그 무기상인은 룩스에게 어지간히 큰 원한을 품고 있겠지? 장의 밑으로 보이는 흉터를 보면 알 수 있다네. 그렇다면 더욱 큰 고통을 주기 위해서 우리도 이용할 생각을 품을 가능성이 있지 않겠는가."

"그게, 알몸과 무슨 관계가 있다는 거야?"

진지한 표정으로 고개를 갸우뚱하는 에이릴을 보며 마기알카는 실소를 흘렸다.

"여기까지 말했는데도 모르다니. 그대는 생각한 것 이상으로 순진하구먼. 룩스와 우리 『칠용기성』 여자 멤버들을 정신적으로 몰아붙일 수 있는 방법이 무엇이 있겠나? 그 쓰레기가 기뻐할 만한 저열한 행사가 무엇인지, 본인은 대충 짐작이 가네만."

"윽……?! 설마─ 그런."

그 말을 듣고 몇 초 후에 생각이 미쳤는지 에이릴의 단정한 얼굴이 확 달아올랐다.

수치심인가, 분노인가.

룩스의 눈에는 그 두 가지 감정이 길항하고 있는 것처럼도 보였다.

한 박자 늦게 룩스도 깨달았다.

헤이즈가 아까 룩스에게 그라이퍼에게 고통을 주라고 한 것과 마찬가지다.

이번에는 『칠용기성』의 여자 멤버들을 룩스가 욕보이게끔 할 작정이었으리라.

"어째서, 그런 짓을……"

『세례』로 인해 폭주한 헤이즈의 끝 모를 악의에 다시금 몸을 떨었다.

마기알카는 다른 멤버들에게도 같은 설명을 해주었고, 그것을 납득하면서 소녀들은 입을 모아 말했다.

"그건 알았으니까! 오빠는 얼른 나가!"

메르가 꺼낸 지당한 의견 앞에서 룩스는 도망칠 수밖에 없었다.

이리하여 적진 한복판에서 일어난 소동은 막을 내렸다.

그리고 전 인원이 에이릴이 가져다 준 각자의 장의로 갈아입고서 몇 분 후—『칠용기성』은 새로운 시련을 맞게 되었다.

†

폐도 게르니카, 고성 중앙 회랑.

에이릴에게 안내받아 합류한 룩스 이하『칠용기성』은 알현실로 이동하는 중이었다.

아니, 연행이라고 불러야 할까.

『칠용기성』 전원은 목에『쐐기』를 찬 탓에 명령에 거역하거나 도주 및 반항하는 것은 사실상 불가능했으니까.

물론 모두 비무장 상태였으며, 부지깽이 하나조차 쥐고 있지 않았다.

기공각검은 이 고성 어디엔가 숨겨둔 모양이었지만 장소를 알지 못했다.

폐허가 되어버린 고성 회랑을 에이릴 뒤를 따라 계속 걸었다.

"생각보다 팔팔해 보이잖아? 역시 터프하구만. 사선에서 바득바득 빠져나올 만해."

그라이퍼가 농담처럼 말하자 룩스는 쓴웃음을 살짝 지었다.

무뚝뚝한 말투이긴 해도 그 나름대로 걱정해서 해준 말일 것이다.

"너무 무리하진 마, 오빠."

고문당한 경위를 들은 메르도 작은 손으로 등을 살짝 쓰다 듬어주었다.

처음에는 적대하거나 거리를 두었던 『칠용기성』 멤버들은, 이제는 그럭저럭 허물없는 사이가 되었다.

이렇게 사로잡힌 상황이라는 것이 유감스럽기는 해도, 그 사실은 룩스에게 위안이 되어주었다.

"……."

그런 한편으로 싱글렌은 여전히 무슨 생각을 하고 있는지 알 수 없었다.

한없이 오만한 표정을 유지한 채 말없이 있을 뿐이었다.

여전히 거만한 태도.

아무에게도 꼬리를 흔들지 않는 위압적인 기척이 감도는 눈 동자에 룩스의 얼굴이 살짝 비쳤다.

"적의 명령을 거부하고 자진해서 전격을 뒤집어썼다지? 여전히 어리석기 짝이 없어."

"자각은 있습니다."

역시 이 남자는 아군이 아니다.

그러나 무슨 이유에서인지 룩스에게 집착했고, 틈만 나면 회유하려고 손을 쓰고 있다.

그 이유도 아직 알 수 없다.

"하지만 저는 잘못된 행동을 했다고 생각하지 않아요. 설령 『칠용기성』 전체로 봤을 때는 그러는 게 피해가 적더라도, 그때 시키는 대로 동료에게 채찍질 했다면 저 자신의 마음에 큰 죄책감이 남았을 겁니다."

그때 룩스는 자신이 크게 다치는 것보다도, 명령을 따라서 무고한 다른 사람에게 상처 주는 쪽이 더욱 큰 후회로 남으리라는 것을 알았기 때문에 팔을 움직일 수 없었다.

그렇게 할 수밖에 없었던 것이다.

"넌 역시 어리석군. 그렇게 할 수밖에 없음을 자각하고 있으면서, 왜 이런 길을 고른 거지?"

"무슨 뜻입니까?"

하지만 싱글렌은 냉소와 함께 룩스의 각오를 폄하했다.

너무 크게 얘기할 수는 없는 탓에 목소리는 작았지만 되묻지 않을 수 없었다.

"무슨 뜻이냐고? 그걸 깨닫지 못했다면 큰 문제로군. 평화를 간절하게 바란다면 전장에 나설 것이 아니라 교회에서 기도라도 올리면 될 노릇이다. 민초들을 사랑한다면 집정관 따위를 목표로 삼을 것이 아니라 고아원이라도 운영하면 되지."

"……?"

"평화를 바라는 기사, 백성을 사랑하는 정치가. 너는 본질적으로 존재하지 않는 이상을 좇으며 그 길 위로 발을 내디뎠다. 녀석과 너는 언뜻 보기에는 정반대 같지만 아주 많이 닮

앉지. 그 순진무구한 어리석음이 말이다."

"녀석이라니 누굴 말하는 거죠? 후길 말입니까?"

말 내용보다도 그쪽이 신경 쓰인 룩스는 캐물었다.

하지만 때마침 알현실에 도착했는지 에이릴이 조용히 말했다.

"잡담은 적당히 해. 그 이상 말하면 전기를 흘릴 거야."

부서진 성벽 파편 따위가 굴러다니고, 퇴색된 융단과 태피스트리가 걸려 있는 알현실.

장대한 역사와 흥망성쇠가 느껴지는 그 풍경 속에서 그들이 기다리고 있었다.

순백색 드레스를 입은『창조주』제1 황녀, 리스테르카 레이아샤리아.

그 왼쪽에 서 있는『열쇠 관리자』이자 시녀, 미스시스 V 엑스퍼.

오른쪽에 서 있는 사람은 룩스와 같은 은발 사내.『창조주』의 장군이자 황녀의 기사, 후길 아카디아.

'후길…… 대체 뭘 꾸미고 있는 거야.'

이 상황에서 의식해봐야 의미 없는 행위임을 이해하고 있지만, 그럼에도 의식하지 않을 수 없었다.

구제국 시절, 처음에는 룩스의 성장을 지켜봐주던 형이었고.

다음에는 같은 뜻을 품은 동포였으며.

최후에는 피로 물든 혁명을 완수한 끝에 룩스를 배신한 존재.

그리고 지금은 구시대의 황족, 신성 아카디아 황국의 측근이다.

이전에는 헤이즈와 함께 행동하였고, 그런 한편으로 리예스 섬에서는 피르히를 구하기 위한 조언을 해주었다.

여전히 후길의 목적은 알 수 없었다.

과거에 들은 말도, 그 변덕스러운 행위도.

모든 것이 진심인 동시에 장난 같다는 생각마저 들었다.

"이곳에 오신 것을 환영합니다. 세계 연합이 자랑하는 각국의 대표 기룡사 『칠용기성』 여러분. 회의 때 몇 번 만나 뵈었으니 잡다한 설명은 생략하겠어요. 거기 있는 에이릴에 대해서도 말이죠."

"……"

리스테르카가 꺼낸 첫마디를 듣고 일동은 입을 다물었다.

겉으로 보이는 태도는 정중했지만, 『대성역』 공략의 길이 열린 순간 세계 연합을 향해 칼을 뽑아들고 위협을 가한 장본인이다.

게다가 전원의 기공각검을 빼앗고 『쐐기』라는 전기 충격 목걸이까지 채웠으니 경계를 풀 수 있을 리가 없었다.

감옥에 그냥 가둬놓기만 해도 될 텐데 이렇게 전원을 불러낸 시점에서 나쁜 예감밖에 들지 않았다.

적으로 돌아선 에이릴을 룩스는 어느 정도 신뢰하고 있었지만, 이 제1 황녀는 아니었다.

『칠용기성』 전원이 태도를 살피자 리스테르카는 부드럽게 미소 지으며 천천히 말하기 시작했다.

"나쁘게 생각하지 말아주세요. 이렇게 되는 것은 처음부터

정해져 있었으니까. 비록 나중에 자리를 차지한 잡종이긴 해도 당신들의 능력에는 경의를 표합니다. 덕분에 무사히, 우리도 피해를 입지 않고 유적을 공략하게 되었으니까요."

"제정신으로 하는 소리라면 대단한 여자로구만. 우리 공녀님은 귀여운 수준이었어."

들릴 듯 말 듯 한 목소리로 중얼거리는 그라이퍼를 보며 룩스는 내심 간담이 서늘했다.

"하지만 유감스럽게도 이렇게 할 수밖에 없어요. 『대성역』에 도달하는 것도 중요합니다만, 우선 세계의 지배자들을 말소해야 하거든요. 우리 『창조주』가 원래대로 세계의 정점에 군림하려면, 가장 먼저 그 잘못된 지배체제부터 바로잡아야 하니까요―."

"뭐……?!"

자못 당연하다는 것처럼 꺼낸 이야기를 듣고 룩스는 말문이 막혔다.

그것은 룩스가 과거 구제국에서 본 광경과 같았다.

자신들이야말로 정통한 지배자라고 자부하며, 애초에 다른 인간을 동격으로 생각하지 않는 태도.

그녀들의 일그러진 가치관은 구제국에 비할 바가 아니었다.

"하지만 실력이 뛰어난 기룡사가 아직 몇 명 남아 있단 말이죠. 그것들을 모조리 섬멸할 때까지, 당신들을 인질로 잡아둬야겠다고 생각했는데―."

'……역시, 그녀가 『대성역』을 독점하게 놔두어선 안 돼.'

룩스가 입술을 살짝 깨물며 그녀들에게는 굴복하지 않겠다는 결의를 재차 다진 순간, 뜻밖의 이야기가 튀어나왔다.

"저의 기사 후길의 조언을 듣고 어떤 사실을 깨달았습니다. 당신들은 잡종이긴 하지만 재능 있는 실력자들이잖아요? 그런 것을 전부 갖다 버리는 것은 낭비 아니겠어요? 현재 우리에겐 부려먹을 일손이 부족하니까."

거기까지 들은 마기알카가 거만하게 웃었다.

"그렇구먼. 무슨 소릴 하려는지 알겠다,『창조주』."

룩스가 진의를 헤아리기 전에 눈앞의 리스테르카가 대답했다.

"감이 좋은 분들이라면 아셨겠죠? 요약하자면, 우리에게 순종할 것을 맹세하고 휘하에 들어와 주셨으면 합니다. 물론 성과에 따라서 많은 권리와 보상을 하사하겠어요."

때 묻지 않은 미소를 지으며 리스테르카는 양손을 맞댔다.

그 말을 들은『칠용기성』멤버들은 잠시 침묵했지만 이윽고 한 명이 입을 열었다.

"농담이 지나친데, 세계의 지배자 아가씨. 우리보고 세계 연합을 배신하고, 나머지 녀석들을 상대하라는 거냐?"

그라이퍼가 어이없어하며 되물었지만 리스테르카는 눈 하나 까딱하지 않고 대답했다.

"뭐, 그렇게 될지도 모르죠. 계속해서 저항하는 것들은 우리에게 방해되니까요."

이런 상황에서도 건방진 태도를 유지하는 그라이퍼를 보며 룩스는 감탄했다. 그것이 그라이퍼라는 남자의 진면목일 것이다.

"그보다도 당신, 기억력이 형편없는 거 아냐? 자기가 한 말도 까먹었어?"

게다가 『칠용기성』에서 가장 어린 소녀, 메르 기잘트도 한마디 거들었다.

"세계 회의에서 당신이 뭐라고 했더라? 유적을 공략할 때 공을 세우면 고대 기술이랑 유산을 우선적으로 나눠주겠다고 약속했지? 그 약속을 일방적으로 깬 주제에 또 거래를 제시하다니, 우리가 무슨 바보인 줄 알아?"

전기 충격의 위력이 어떤지 룩스에게 들었을 텐데도 역시 대단한 담력이었다.

아직 어린 소녀면서 『칠용기성』의 한 자리를 차지할만했다.

하지만 그런 반응도 다 예상했는지 리스테르카의 표정은 흔들리지 않았다.

우아한 동작과 미소를 유지한 채 타이르는 것처럼 말을 이어나갔다.

"그렇게 말씀하시니 찔리는 건 사실입니다만, 그때와는 달라요. 왜냐하면, 이제 그런 지킬 생각도 없는 약속은 안 할 거거든요. 당신들에게 하사하는 건, 아주 약간 자유롭게 살 수 있는 권리예요. 그 이상은 줄 생각도 없답니다."

"처음부터, 제대로 이야기할 생각은 없었다 이거지—."

연기 중인 로자 그랑하이드가 대답하자 현장의 긴장감이 더욱 강해졌다.

『창조주』리스테르카의 의사는 분명했다.

유적의 지식과 기술은 단 하나도 건네주지 않고 그녀들이 독점하겠다는 것.

그리고 약간의 자유와 권리를 보장할 테니, 그 조건으로 거래하자는 것이었다.

"그런 조건으로 당신들 밑에 붙을 사람이 있을 거라고 생각하다니. 대단해."

원래 『창조주』와 관계가 깊은 소피스마저도 협력을 거부하는 태도를 보였다.

그때, 갑자기 한 남자가 한 발짝 앞으로 나섰다.

짙은 청색 로브를 걸친 마른 남자—『푸른 폭군』 싱글렌 쉘불릿.

"그렇다면 내가 힘을 보태주지, 황녀 전하."

은연중에 사람을 깔아보는 듯한 거만한 태도를 그대로 유지한 채 그 앞에서 고개를 숙였다.

『쐐기』를 차고 있으니 혹여라도 반항은 할 수 없을 터이나, 시녀 미스시스는 다소 경계하는 것처럼 그를 제지했다.

"뜻을 밝히는 정도면 충분합니다. 허가 없이 접근한다면 다음번에는 벌을 내리겠습니다."

"이거 실례했군."

예의바르게 웃으며 고개를 숙인 후 싱글렌은 뒤로 물러났다.

그의 행동을 본 룩스는 놀랐지만, 계속해서 귀를 의심하고 싶어지는 마기알카의 목소리가 들렸다.

"나도 받아주지 않겠는가? 이대로 애첩들을 남기고 죽기는 아쉬워서 말일세."

"——?!"

대장과 부대장이 가장 먼저 적에게 붙겠다고 손을 들자, 역시나 나머지 멤버들 사이에서도 동요가 일어났다.

룩스도 무심코 미심쩍어하는 표정을 지을 정도였다.

"엑, 무슨 생각이야? 진심으로 이 녀석들이 하는 말을 듣게?"

"대장은 비교적 실리주의자니까 그렇다 쳐도, 부대장 나리까지 복종하다니 놀랄 노자로구만."

메르와 그라이퍼가 바로 쓴소리를 내뱉었지만 두 사람은 미소를 지을 뿐 대꾸하지 않았다.

"그런가요, 알겠습니다."

그런 두 사람의 얼굴을 번갈아 보면서 리스테르카가 등을 똑바로 폈다.

"당신들 두 사람만은, 제 휘하로 끌어들이지 말아야겠군요."

"⋯⋯?!"

리스테르카가 단호하게 대답하자 마기알카와 싱글렌은 눈살을 찌푸렸다.

"무슨 뜻이지? 방금 한 제안은 황녀 전하의 헛소리였는가?"

그러면서도 동요는 겉으로 드러내지 않고 묻자 리스테르카는 태연하게 미소 지었다.

"아니요. 여러분을 중용하고 싶다는 것은 진심이에요. 하지만 아무 거리낌 없이 적에게 붙는 이를 신용할 수 있을까요? 게다가—."

그렇게 대담한 리스테르카는 불현듯 갈라진 벽 틈으로 바깥에서 벌어지고 있는 환신수와 연합군의 전투를 바라보았다.

　고성을 둘러싼 흉악한 환신수 무리.

　연합의 정예부대는 그것들을 조금씩 유인해서 각개격파를 이어나갔다.

　주력인 『칠용기성』이 적에게 일망타진당한 이 상황에서 병참을 유지하고 묵묵히 전투를 계속하는 결과는 오산이었을 것이다.

　본디 리스테르카는 연합군이 알아서 와해될 것으로 예측했다.

　그러나 지금은 그들이 『대성역』 공략에 끼어들 가능성을 우려하고 있었다.

　"남은 거점의 잔존부대. 저것들을 지휘하는 건 당신들 두 사람의 보좌관이에요. 그래서 무언가 꿍꿍이가 있는 게 아닐지 의심스럽거든요."

　"……."

　대화하는 세 사람을 지켜보며 룩스를 비롯한 나머지 『칠용기성』 멤버들도 숨을 죽였다.

　확실히 저 두 사람은 단순한 무력 자체는 물론이거니와 책략을 곁들인 도박에도 뛰어나다는 인상이 있다.

　그런 두 사람이 가장 먼저 배신했으니 무언가 꿍꿍이가 있음을 직감적으로 깨달았을 것이다.

　"그런고로 당신들 두 명은 처형하겠습니다. 인질로서도 가치가 높긴 하지만, 살려두었을 때 위험이 더 클 것 같거든요.

그럼—."

"잠깐만요, 언니. 저는 반대해요."

그때 누군가가 리스테르카의 말을 잘랐다.

룩스 일행을 이곳까지 데려온 에이릴이 리스테르카 앞으로 나갔다.

"이유가 뭐니 에이릴? 시간이 없으니 짧게 부탁해."

"카드를 쓰고 버린다면, 앞으로 우리 휘하에 들어오려고 하는 사람은 없을 거예요. 후길 장군의 의향에 따르기로 하지 않았나요?"

'후길의 의향과…… 카드?'

그녀의 말을 듣고 룩스는 그들의 사정을 추측해보았다.

『대성역』공략 및 방어를 담당할 인원이 부족하기 때문에 그들은『칠용기성』을 이용하고 싶다.

후길이 그렇게 조언해서 이런 상황이 되었음을 예상할 수 있었다.

지적받은 리스테르카는 입가에 손을 대고 곤란하다는 것처럼 눈을 내리깔았다.

"그것도 그러네. 그럼 에이릴, 네가 선택하려무나."

"그래도 괜찮겠어요?"

"그럼.『칠용기성』의 보좌관으로서 누구보다도 오래 그들을 지켜보아온 사람은 너잖니. 실력도 됨됨이도 잘 알고 있을 테니까—."

리스테르카가 순순히 인정하자 에이릴은 룩스 일행 쪽으로 돌아섰다.

세 가닥으로 땋은 은발을 흔들며 전원을 가볍게 훑어보았다.

'설마 아니겠지만, 그래도 어쩌면—.'

그런 예감이 적중한 것일까. 그녀의 시선은 룩스 앞에서 딱 멈추었다.

"저는 그를 추천하겠어요. 신왕국의 『칠용기성』, 룩스 아카디아를."

"……?!"

주위에서 소리 없는 동요가 일어났다.

특히 『열쇠 관리자』인 소피스는 뜻밖이라는 것처럼 눈을 깜빡거렸다.

『창조주』들의 역사를 아는 그녀는 『배신자 일족』이라고 야유 받던 룩스를 뽑았다는 사실이 놀라웠을 것이다.

"저는 반대하겠습니다. 그는 분명 성실한 인간일지도 모르나, 미지의 부분과 성장력이 있습니다."

리스테르카 옆으로 물러나 있던 시녀 미스시스가 끼어들자 리스테르카는 살짝 손을 들어서 제지했다.

"뭐, 일단 들어보기나 해요. 에이릴, 왜 그를 선택했니?"

"그의 장점과 단점을 고려한 판단이에요."

"자세히 말해보련?"

"그의 장점은 단기간에 급격하게 성장하는 모습을 보이며 두뇌 회전이 빠르다는 거예요. 라그나뢰크를 격퇴한 숫자도 가장 많고, 기룡사 상대로도 높은 승률을 자랑하죠."

"하지만 그렇게 강하면 유용한 만큼 배신당했을 때 위험하잖니. 『쐐기』를 차고 있으니 괜한 짓을 하진 않겠지만—."

에이릴의 말에 수긍하면서도 리스테르카는 망설였다.

하지만 뜸을 들이지 않고 제2 황녀는 계속해서 몰아붙였다.

"그러니 그의 약점을 이용하는 거예요. 그는 헤이즈에게 『칠용기성』을 고문하라고 명령받았을 때, 『쐐기』의 전기충격 처벌을 알면서도 명령을 따르지 못했어요."

"그랬구나. 그렇다면……."

"나머지 『칠용기성』이나 동료들을 담보로 붙잡아두면, 그가 배신하지 않을 거라고 보장할 수 있어요. 나머지 문제는 제가 책임지고 관리할게요."

"그렇단 말이지……."

에이릴의 진언을 들은 리스테르카는 고개를 끄덕이며 잠시 눈을 감았다.

이윽고 생각이 정리되었는지 그녀의 작은 입술에서 대답이 흘러나왔다.

"그래, 알았어. 너는 맡은 사명을 완벽하게 수행해서 믿음직한 모습을 보여주었지. 그 공로를 높이 사서 네 부탁을 들어줄게."

"감사합니다, 언니."

에이릴이 공손하게 고개를 숙인 후 나머지 『칠용기성』은 고성 안뜰로 연행되었다.

룩스는 에이릴에게 끌려가 홀로 별실로 안내받았다.

룩스가 적 진영에 흡수되는 것이 의외로 쉽게 결정되었지만, 굳이 반론하지 않은 것은 룩스에게도 나름대로 생각이 있기 때문이었다.

그 코랄…… 에이릴이 굳이 자신을 지명한 것도 그렇지만, 처음에 배신하려고 한 마기알카와 싱글렌이 아무 이의도 제기하지 않았다.

물론 『쐐기』가 있기 때문에 쓸데없는 말을 꺼내지 않았을 뿐일 가능성도 있었다.

하지만 룩스는 달리 노리는 바가 있을 거라고 추측했다.

『칠용기성』 중핵이자 도박에 능한 그 두 사람은 어차피 『창조주』라 해도 카드로 삼기는 어려웠을 것이다.

그러니 룩스가 쉽게 선택받을 수 있도록, 일부러 갑자기 손을 든 것이 아니었을까?

그리고 에이릴은 에이릴대로 그런 그들의 의도를 알면서 룩스를 추천한 것 같았다.

근거라고 할 만큼 자신 있는 것은 아니었지만, 왠지 모르게 그런 기분이 들었다.

"그럼, 룩스 군은 당분간 나랑 같이 지내야겠네."

"저기 그런데, 이 방이 확실해?"

룩스가 안내받은 방은 특별히 넓었으며 내부도 깔끔하게 정리되어 있었다.

아마도 예전에 왕족이 쓰던 침실이 아닐까?

캐노피가 달린 거대한 침대와 빨간 융단에 새겨진 자수가 아름다웠다.

그녀들이 처음부터 이 고성을 거점으로 삼을 생각이었다면 시녀인 미스시스가 청소를 하고 정리한 것일지도 모른다.

에이릴은 그 침대에 걸터앉고 살짝 손짓하며 룩스를 불렀다.

그 신호를 따라 옆에 앉자 이야기를 시작했다.

"기본적으로 룩스 군은 내게 감시받아야 해. 그게 리스테르카 언니가 제시한 조건이고, 무엇보다도 널 자유롭게 행동하게 놔둘 수는 없으니까."

에이릴은 적의도 호의도 보이지 않고 그저 담담하게 말했다.

그 모습에서 의도는 읽어낼 수 없었지만, 적어도 『창조주』로서의 입장을 관철할 자세라는 것은 알 수 있었다.

"신중하네. 아까는, 내가 배신하지 않을 거라고 보장할 수 있다고 했으면서."

"그런 건 당연히 명분이지. 룩스 군이 여러 모로 나사가 빠진 데다 빈틈도 많다는 건 사실이지만 말야. 하지만— 그 이상으로 가늠할 수 없는 가능성을 숨기고 있는걸."

어쩐지 확신하는 듯한 그녀의 말에 룩스는 어떻게 반응해야 할지 망설였다.

다만 외모는 비록 완전히 『창조주』 소녀로 바뀌었어도, 싹싹한 친구인 코랄의 면모 역시 강하게 남아 있었다.

그때 갑자기 에이릴이 의미심장한 시선을 보냈다.

"하지만 설마 이런 곳에서까지 여자애들의 알몸을 엿보다니 — 나도 그건 예상 못 했어."

기분 탓인지 불만스러운 뉘앙스가 함께 느껴졌다.

"그건 우연히 일어난 사고지 내 탓이 아니라니까! 그보다, 애초에 평소에도 좋아서 그러는 게 아니라고!"

"진짜인가 몰라. 반하임 공국에서도 내 등을 뚫어지게 쳐다 봤으면서."

"그건 네가 남자로 위장한 탓이잖아?!"

"아하하. 그것도 그러네."

룩스가 지적하자 에이릴은 꾸밈없는 미소를 지었다.

솔직하게 말하자면 당시에도 분명 묘한 색기를 발산했지만, 완벽한 소녀로 변한 뒤로는 예전보다 더욱 귀엽게 느껴졌다.

수많은 별들을 아로새긴 것만 같은 땋은 은발도, 여성스러 움이 느껴지는 가슴의 굴곡도.

장의 사이로 보이는 하얀 피부도, 은은한 향기도.

그저 가까이 있기만 해도 심장 박동에 박차를 가하는 충동 이 솟아오른다.

하지만 지금 그녀와는 사정상 적대 관계다.

룩스는 심호흡을 한 번 하고서 마음을 다잡고 물어보았다.

"그래서, 너희 『창조주』는 앞으로 나한테 뭘 시킬 생각이야?"

다행인지 불행인지 에이릴의 감시 하에서 미미한 자유를 얻 게 되었지만, 여전히 궁지에 몰려 있다는 점은 변하지 않았다.

룩스라는 카드를 손에 넣은 그녀들— 나아가서는 후길의 목적을 먼저 파악해야 했다.

"응. 역시 그게 제일 궁금하겠지. 우리 『창조주』는 이제 고성 지하에 있는 『대성역』의 표층부를 공략할 거야. 거기를 돌파하고 문을 열어서 심층부로 내려가는 길을 개척해야 하지. 룩스 군은 거기에 힘을 보태주면 돼."

'......?'

에이릴이 한 말을 듣고 룩스는 잠시 망설였다.

그 요청 자체에 거부반응을 느낀 것은 아니었다.

무언가 기묘한 위화감을 느꼈을 뿐이다.

일단 의문을 하나씩 풀어가는 방향으로 움직였다.

"잠깐만. 너희는 이미 이 『대성역』을 제어하고 있는 거 아니었어?"

"그런 식으로 이런저런 정보를 캐내려는 점이 얄밉지만, 어쩔 수 없지. 얘기해줄게."

에이릴은 조금 곤란해 보이는 얼굴로 미소 지으며 대답했다.

아무래도 룩스의 의도를 파악한 모양이었지만, 그래도 제대로 얘기해주려는 것 같았다.

"이건 꽤나 큰 오산이랄까, 예상치 못한 문제야. 이 『대성역』에도 제어실에 쉽게 도착하는 것을 막기 위해서 다른 유적과 동급 이상의 단계적인 봉인이 걸려 있어. 그건 원래 『창조주』와 『열쇠 관리자』의 권한을 병용해서 시간을 들여 돌파해야 하거든?"

『창조주』들은 이미 알고 있는 정보였다.

그 시간이 걸리는 해제 작업도, 세계 연합이 눈치채지 못하도록 착실하게 진행할 예정이었다고 한다.

"그런데, 그 예정에 문제가 생긴 거야?"

"결론적으론 그렇게 됐지."

한숨을 살짝 흘리며 에이릴은 고개를 숙였다.

"리스테르카 언니는 모든 유적이 공략된 뒤에 남몰래 우리 끼리 『대성역』 공략을 진행할 생각이었어."

『대성역』에 진입하기 위해서는 우선 일곱 유적을 해방 상태 로 만들어야만 한다.

그러나 세계 연합은 『대성역』이 있는 장소를 모르므로, 『창 조주』들은 그 사실을 알리지 않고 남은 시간동안 느긋하게 『대성역』을 공략할 작정이었다.

물론 대외적으로는 아직 찾지 못한 『대성역』을 찾는 중이라 고 공표하고서.

"그런데, 그 『칠용기성』 대장인 마기알카 젠 반프리크가 상 상 이상으로 대단하더라고. 그녀가 원래 마르카팔 왕국 소속 이라는 점과 예민한 후각이 시너지를 일으켜서 『대성역』이 있 는 장소를 알아내고 말았지. 유적 공략을 너희에게 맡기는 한 편 『대성역』 공략 준비도 차근차근 진행했고, 마침내 코앞에 다 정예부대를 포진시킨 거야."

그렇게 되자 애가 타는 것은 『창조주』 측이었다.

세계 연합을 속여서 유적을 공략하게 하고 한 발 먼저 『대 성역』에 진입할 생각이었건만 오히려 역공당하고 말았으니까.

이대로라면 자칫 잘못하면 『대성역』을 빼앗길 수도 있었다.

이제는 분초를 다투는 상황임을 깨달은 제1 황녀 리스테르카는 비장의 수단을 꺼내들었다.

그 비장의 수단이란 『칠용기성』과 세계 연합에 침투시켜둔 독침— 코랄이라는 스파이를 움직여 이렇게 적의 발목을 붙잡는 것이었다.

에이릴 일행의 사정을 듣고 룩스의 의문은 해소되었다.

어째서 아직 『대성역』 공략이 남아있는데도 『칠용기성』을 포획해야만 했는지.

동시에 이제 와서 룩스를 카드로 삼으려고 하는 이유도.

"그럼, 세계 각지에 통보한 12일의 유예 기간, 왕후귀족을 죽이겠다는 소문은 역시 양동이었구나."

『대성역』에 전력이 집중되는 것을 막기 위해서, 그리고 공략할 때까지 시간을 벌기 위해서 수뇌부를 교란하는 작전인 것일까.

"아니, 그런 측면도 있기는 한데, 아마 언니는 진심일 거야. 『창조주』의 생존자로서, 자신의 사명을 완수하려 하고 있지."

"……."

불안해 보이는 에이릴의 얼굴을 보며 룩스는 한숨을 쉴 수밖에 없었다.

리스테르카가 노리는 것이 정말로 지배계급의 재편성이라면 소피스 때와는 다르게 교섭의 여지는 없다.

그리고 지금 룩스는 그들을 도와주어야만 하는 상황이었다.

"역시, 안 내키는구나."

"……그야, 뭐."

전기를 방출하는 목걸이—『쐐기』 때문에 거부권이 없긴 하지만, 어떻게 해야 할지 룩스는 망설였다.

자신에게 주어진 선택지는 세 개다.

하나는 『칠용기성』을 살리고 반격 기회를 찾기 위해서 시키는 대로 움직이는 것.

명령에 반대하고 자해해서, 리샤 일행이 리스테르카를 저지하기를 마냥 바라는 것.

아니면, 진심으로 『창조주』들에게 복종하는 것.

마지막 선택지만큼은 어불성설이었다.

따라서 룩스가 다른 두 선택지를 속으로 저울질하고 있을 때, 눈앞의 소녀가 얼굴을 가까이 붙이며 말했다.

"미안해, 룩스 군."

눈꼬리를 아래로 내리고, 우울함이 묻어오는 눈동자를 돌리며 에이릴은 중얼거렸다.

"이런 상황에서 사과하는 게 이기적인 행동이라는 건 알지만, 그래도 사과할게. 지금까지 해온 짓을, 앞으로 하게 될 짓을—"

"……"

"그래도 부탁해. 되도록이면 날 도와줬으면 좋겠어. 『창조주』의 제2 황녀가 아니라, 네가 아는 한 사람을 돕는다 생각하고 『대성역』 공략에 협력해주길 바라. 만약 그렇게 해준다면, 『칠용기성』과 학원 사람들의 안전은 전력으로 지켜줄게."

"그게 무슨 뜻이야? 너는, 『창조주』로서 리스테르카의 의지를 따르는 게 아니라는 소리야?"

에이릴의 호소가 어딘지 모르게 감정적으로 느껴졌기 때문에 룩스는 되물었다.

그러자 잠시 침묵한 후, 소녀는 속삭이듯 대답했다.

"나는 『창조주』의 일원이야. 신성 아카디아 황국의 제2 황녀지. 그 운명과 사명 앞에서 도망칠 생각은 없어. 하지만, 이런 내게도 개인 의지는 있어. 황족으로서 선택해야 마땅한 길이 있다고."

마치 자기 자신에게 말하는 것처럼 에이릴은 자신의 소원을 이야기했다.

"룩스 군은, 구제국 황족인데도 관습을 따르지 않고 자신만의 대답을 찾아냈지. 그게 남들 위에 서는 자의 본분이라고 생각해. 적어도 난 그렇게 믿고 있어."

그러니까, 라고 뜸을 들이며 자신의 가슴에 살짝 손을 댄 소녀는 이어서 말했다.

"나를 도와줘. 내가 『대성역』을 차지할 수 있도록. 리스테르카 언니가 아니라, 이 나한테 맡겨줬으면 해. 네가 있으면 그게 가능할 것 같아. 언니랑은 다른 대답을 찾을 수 있을 거야. 그 대답은 아주 오랫동안 알지 못했지만, 그래도, 지금은— 뭔지 알 것 같아."

"……."

그것은 어떤 면에서는 무서운 고백이라고 할 수 있었다.

듣기에 따라서는 에이릴이 제1 황녀의 눈을 피해 자신이 정점에 서겠다고 말하는 것 같았으니까.

『칠용기성』이라는 자리를 생각하면 에이릴이 하는 말을 곧이곧대로 받아들여서는 안 될 것이다.

애초에 처음부터 남들을 속인 시점에서 그녀를 신뢰하는 것은 위험했으며, 설사 룩스가 협력하더라도 에이릴이 『대성역』의 시스템을 독점할 수 있을 거라는 보증은 없었다.

나아가서는 이 이야기 자체가 거짓일 가능성 또한 대단히 컸다.

룩스가 『대성역』을 적극적으로 공략하도록 유도하기 위한 그럴싸한 명분일 수도 있었다.

'하지만— 왜일까. 난 그녀를 믿고 싶어.'

과거에 후길에게 배신당했음에도 불구하고 룩스의 본심은 그러기를 바라고 있었다.

하지만 실수가 허용되는 상황이 아니었다.

자신의 선택에 따라서, 자신만이 아니라 각국의 파멸마저 확정될 테니까.

그런 룩스의 갈등을 느꼈는지 에이릴은 조용히 일어났다.

"미안하지만, 지금은 차분히 생각하게 해줄 시간조차 없어. 그러니까—"

그리고 입고 있던 장의를 벗기 시작했다.

"야……?! 갑자기 뭐 하는 거야, 에이릴?!"

자기도 모르게 침대에서 벗어난 룩스는 손으로 눈을 가렸다.

실오라기 하나 걸치지 않은 소녀의 나신이 캐노피 침대 밑에 드러났다.

성장기라는 생각을 들게 하는, 생생하게 부풀어 오른 소녀의 가슴.

늘씬하면서도 육감적인 허벅지의 각선미.

그리고 창피함을 참으면서 무언가를 바라는 듯한 소녀의 시선.

"내가 지금, 네게 줄 수 있는 거라면, 이 정도가…… 전부야."

"그, 그게, 무슨—."

"내 각오를, 시험해줘. 네게 공격 받았다고 인식하지 않으면, 『쐐기』는 전기를 방출하지 않아. 그러니까, 룩스 군이 하고 싶은 대로 해도 돼. 헤이즈가 네게 한 것처럼 나를 상처 줘도 되고, 그 외에도 무엇이든지, 하고 싶은 대로 해도— 괜찮아."

"……."

"나는 네가 어떤 짓을 한다 해도, 공격 받았다고 인식하지 않아. 그렇게 해낼 거고, 그럴 수 있을지 시험해보고 싶어. 왜냐하면 나는, 그러기를 바라고 있으니까……."

그 고백을 듣고 룩스는 이해했다.

코랄이— 아니 에이릴이, 룩스가 상처 주기를 바란다고 말한 이유를.

벌을 요구하는 것이었다.

친구가 되기를 바란 소녀를 배신하고, 속이고, 책략에 빠뜨렸다.

자신의 출생과 사명 때문에 그렇게 할 수 밖에 없었다는 사실을 그녀는 마음아파 하고 있었다.

그러나 룩스의 내면에서 생겨난 충동은, 그것과는 또 종류가 달랐다.

중성적이지만 귀여운 얼굴과 성격의 또래 소년이, 호의를 품고 있던 사람이 아름다운 소녀로 변모한 것이다.

그런 그녀가 이렇게 맨살을 드러내고 룩스가 고통을 주기를 원하고 있다.

결코 괜찮다는 표정이 아니라, 수치심과 공포를 견디는 것처럼 보이는 옆모습으로.

그 광경에 현실을 의심할 정도로 가슴이 뜨겁게 달아올랐고, 머릿속이 안개 낀 것처럼 흐려졌다.

하지만—.

"앗……."

"얼른 안 입으면 감기 걸린다?"

그런 온갖 충동을 억누르며 룩스는 침대에 깔려 있던 이불을 그녀에게 걸쳐주었다.

"내겐 무리야. 설령 네가 진심으로 바란다 해도, 내 손으로 네게 상처를 입히거나 욕보인다면 틀림없이 후회할 거야. 그러니까, 할 수 없어."

따뜻하게 미소 지으며 룩스는 말했다.

"……그래."

에이릴은 안심한 듯한, 혹은 어딘지 모르게 쓸쓸해 보이는 표정으로 미소 지었다.

"룩스 군은, 역시 이상한 남자애구나. 너를 배신해서, 아까 같은 험한 꼴을 겪게 만든 장본인인데. 원망하지 않는 정도가 아니라, 자기 자신이 상처를 입는다니."

"그래서 아이리한테도 매번 혼나. 사람이 너무 좋다면서."

"하지만 난 네 그런 점이 좋아. 이렇게까지 했는데도 아무 짓도 하지 않는 건, 조금 아쉽지만……."

"응……?"

쓴웃음을 짓는 룩스를 보며 에이릴은 작게 중얼거렸다.

룩스가 되묻자 퍼뜩 이성을 되찾은 소녀는 허둥대며 대꾸했다.

"아, 아무 것도 아니야! 따, 따따따딱히 이상한 생각 한 적도 없고! 그, 그럼, 이 이야기는—."

리스테르카도 헤이즈도 아닌, 에이릴이라는 개인이 가장 먼저 『대성역』에 도착하기 위해서 도움을 요청한 것에 대한 룩스의 대답은—.

"응. 널 도와줄게, 에이릴."

"룩스 군……."

"솔직히 말하자면 에이릴이 어떤 일을 하려는 건지, 그게 정말로 내가 용납할 수 있는 대답이 맞을지는 몰라. 하지만 네가 진심으로 무언가를 하려 한다는 것은 믿을 수 있어. 지금은, 거기에 걸어볼 수밖에 없다는 것도."

결국은 그런 것이다.

이렇게 『쐐기』를 찬 채 감옥에 갇혀있다 한들, 혹은 인질이 되기를 거부하고 자해한들, 아마도 패배를 뒤집을 수는 없으리라.

그럴 바에야 에이릴의 제안을 따르며 돌파구를 찾는 길을 룩스는 선택하기로 했다.

"고마워, 룩스 군."

룩스의 대답을 듣고 에이릴은 안도의 미소를 지으며 자신의 가슴을 끌어안았다.

"미안하지만, 난 아직 너를 완전히 믿는 건 아니야. 그래도—."

"응, 알아. 그래도 기쁜걸."

당장이라도 눈물을 쏟을 듯한 미소를 지으며 에이릴은 대답했다.

그리고 감격에 몸을 맡긴 것처럼 룩스를 와락 끌어안았다.

"앗, 에이릴?! 이불 벗겨졌어!"

요컨대 그녀는 지금 알몸이기 때문에, 남자였을 때는 상상도 할 수 없는 봉긋한 가슴이 직접 닿아서 눌렸다는 이야기다.

"아앗! 미, 미안해?! 내가 대체 무슨 짓을⋯⋯?!"

"너, 너무 당황하지 마! 『쐐기』에서 전기가—!"

결국 전기는 방출되지 않았지만 룩스는 간이 떨어지는 줄 알았다.

"큰일날 뻔했네. 세 번째 전기 충격은 사람이 확실하게 죽을 정도의 위력이라고 들었거든."

"아 그거, 목걸이를 풀었다가 다시 채웠으니까 괜찮아. 『쐐기」를 한 번 풀고 다시 채우면 전기 충격 횟수도 리셋되거든."

다시 장의를 입은 에이릴은 조금 당황한 모습으로 말했다.

조금 전까지 알몸이었던 탓일까. 아니면 룩스의 품에 뛰어든 탓일까. 부끄러운 듯 뺨을 붉게 물들인 채 소녀는 오른손을 내밀었다.

"그럼, 룩스 군. 앞으로 잘 부탁할게."

에이릴이 우물쭈물 수줍게 내민 손을 룩스가 맞잡았다.

이렇게 일시적인 계약이 성립되었다.

Episode 2   무력교섭

"하아…… 하아……. 드디어, 룩스가 기다리는 전장에 도착했군!"

태양이 중천에서 빛나는 쾌청한 정오.

금발 사이드 테일을 세찬 바람에 나부끼며, 《티아마트》를 장착한 리샤 일행이 하늘에서 폐도의 전황을 내려다보고 있었다.

한쪽에는 『대성역』을 지하에 감춘 장엄한 고성.

수 kl 떨어진 맞은편에는 세계 연합이 포진하고 있는 거점인 요새와 감시탑이 우뚝 서 있었다.

신왕국에서 출발한지도 어느덧 이틀.

리샤와 크루루시퍼는 피르히와 세리스 뒤를 따라 합류했고, 네 사람은 『칠용기성』을 탈환하기 위해서 마르카팔 왕국의 폐도 게르니카에 도착했다.

역시나 신왕국과 멀리 떨어져 있는 탓에 도중에 짬짬이 휴식시간을 가지며 교대로 장갑기룡을 소환, 이동해서 최단거리를 돌파했다.

『칠용기성』이 일망타진 당한 이후로 『대성역』 공략 기세는 한풀 꺾였다고 들었지만, 리샤는 연합군이 와해되지 않은 것만 해도 대단하다고 생각했다.

"어서 요새로 내려가죠. 하지만— 조급하게 굴면 안 됩니다. 우리도 지금은 피로 때문에 만족스럽게 움직일 수 없으니까요."

리샤 옆에서 신장기룡《린드부름》을 조종 중인 세리스티아가 재촉했다.

지당한 말이었다.

기룡사 중에서도 손꼽히는 체력을 자랑하는 그녀들조차 이 초특급 행군에 힘을 너무 소비했다.

일단은 현재 요새를 관리하고 있는 지휘관을 만나본 다음 휴식을 취해야 했다.

그렇게 생각하고 용성으로 통신을 보내자 곧바로 요새 안에서 대답이 돌아왔다.

『누구시죠? 소속기관과 목적을 말씀해주세요.』

《드레이크》의 용성으로 통해 돌아온 것은 어린 소년의 목소리였다.

리샤는 그것을 듣고 심호흡을 한 차례 한 다음 이름을 밝혔다.

『우린 아티스마타 신왕국 왕녀 리즈샤르테와 그 일행이다. 「칠용기성」의 일원이자 나의 기사인 룩스 아카디아를 구출하기 위해서, 그리고 세계 연합에 협력하는 일원으로서, 귀 부대를 돕기 위해 찾아왔다. 문을 열어주길 바란다.』

사무적인 어조로 말하자 거의 즉시 대답이 돌아왔다.

『먼 길 오시느라 고생하셨습니다. 여러분의 방문을 환영합니다.』

그리고 몇 분 후에 요새 옥상에 인영이 나타나 깃발을 세웠다.

착륙 허가를 받은 리샤와 세리스는 각자 크루루시퍼와 피르히를 안은 채 착륙했다.

리샤 일행을 마중 나온 사람은 체구가 작은 흑발 소년이었다.

"저는 『칠용기성』 대장의 보좌관, 롤로트 카디우스라고 합니다. 이번에는 주군 마기알카가 붙잡혔을 경우 총지휘권을 맡으라고 명령받았기 때문에, 이렇게 남은 병력을 지휘하고 있습니다. 잘 부탁드리겠습니다."

"전황은 어떤가? 룩스네는 어떻게 되었고?!"

『칠용기성』이 포로가 되었다는 이야기를 듣긴 했지만, 그 연락을 받고 이곳에 도착하기까지 이미 며칠이 지났다.

그 탓에 속이 타는 리샤를 달래주려는 것처럼 롤로트는 부드럽게 미소 지었다.

"걱정하지 마세요. 열세인 건 사실이지만, 적어도 지금은 균형을 유지하고 있습니다. 느긋하게 움직일 수 있을 만큼 여유로운 건 아니어도 차분하게 작전을 세울 유예 정도는 있어요."

"그, 그런가."

소년이 침착하게 대응하자 리샤도 안도의 한숨을 내쉬었다.

세계 연합 회의에는 참석한 적 없는 마기알카의 측근은 순진한 소년처럼 보이는 외모와는 다르게 배짱이 제법 두둑한 모양이었다.

롤로트는 장갑을 해제하자마자 휘청거리는 리샤를 보고 일단 전원을 객실로 안내해주었다.

과연 세계적인 대부호 마기알카가 건조한 요새라고나 할까.

폐허가 된 군사거점을 재활용해서 급히 세운 요새일 텐데, 짧은 기간 만에 호화로운 느낌마저 드는 구조로 리모델링되었다.

요새에서 겨우 몇 키르 떨어진 곳에는 적의 본거지인 고성이 있지만, 싱글렌의 보좌관 츠바이베르크가 지휘하는 백령 기사단이 구축한 방어선이 제대로 기능하는 모양이었다.

《드레이크》 십여 기가 항상 주위를 감시하며 유사시에는 경보를 울린다고 했다.

"그러니 일단 씻고 푹 쉬세요. 컨디션이 괜찮으시다면, 저녁 식사 후에 전황 설명 및 상담을 할까 합니다."

"배려해주셔서 감사합니다, 롤로트 경."

"그냥 롤로트라고 부르셔도 돼요. 원래는 고아였고, 지금은 마기알카의 일개 집사일 뿐이니까요."

롤로트는 쓴웃음을 지으며 대답했다. 하지만 기룡사로서는 어떤지 몰라도 지휘관으로서는 상당히 수완이 좋아 보였다.

일단 그의 권유를 따라 안내받은 2인실에 두 사람씩 들어가서 짐을 풀었다.

리샤는 크루루시퍼와 함께 객실에 들어가자마자 자기도 모르게 침대에 주저앉았다.

기력으로 어떻게든 버텨왔지만, 서 있는 것조차 버거울 정도로 피로했다.

"생각보다 전황이 진정된 모양이네. 물론 좋은 의미로."

크루루시퍼는 땀에 전 장의를 벗고 몸을 닦으며 푸른 머리카락을 쓸어 올렸다.

『칠용기성』이 일망타진당한 상황이니만큼 좀 더 절박한, 최악의 사태도 예상하고 있었다.

실제로는 『창조주』들에게도 예상 밖이었을지도 모른다.

아마 그들은 『칠용기성』을 붙잡은 시점에서 승리를 확신했을 것이다.

적어도 이 거점이 와해될 것이라고 예측한 것은 리샤 일행도 마찬가지이니까.

하지만 불행 중 다행이라고 해야 할까. 그런 거만한 태도가 이 교착상태를 만들게 되었다.

그리고 마기알카와 싱글렌은 자신들이 포로로 붙잡히는 절망적인 상황까지 예견하고 자신들의 심복에게 미리 명령해두었으리라.

유적을 공략할 때는 그다지 적극적인 모습을 보이지 않던 두 사람은 핵심 표적인 『대성역』을 목표로 준비해온 모양이었다.

"하지만 역시 방심할 수는 없어. 아니, 그렇다기보다도 절망이 살짝 완화된 상황에 불과하다고 해야겠지."

가져온 학원 교복으로 갈아입은 크루루시퍼가 재차 탄식했다.

"그렇지. 『창조주』들의 협박, 12일이라는 카운트다운의 여파가 각국에서 일어나기 시작할 거다. 놈들의 압력에 굴복하고,

국가 간의 협력을 거부하는 사람도 나타날지 몰라."

리샤는 씁쓸한 마음으로 이를 갈며 신왕국에서 받은 보고 내용을 떠올렸다.

『창조주』리스테르카의 외모를 흉내 낸 환신수— 섀도가 라피 여왕을 비롯한 왕후귀족들의 목을 자진해서 바치라고 명령한 사건.

그녀들이 희생한다면『창조주』는 백성들에게 손을 대지 않겠다고 말했다.

대단히 부조리하고 난폭한 요구였다. 그러나 하위 귀족이나 백성들은 그 압력에 무릎을 꿇고, 여왕이 희생할 것을 독촉하기 시작하게 될지도 모른다.

그렇게 초조하게 만드는 것이『창조주』가 노리는 바라는 것은 알지만, 마냥 무시할 수 없다는 것이 골치 아팠다.

"그런 문제를 생각하면, 역시 느긋하게 쉴 마음이 들지를 않네."

"그래도— 쉬어야지 어쩌겠어. 그게 일단은 신왕국의 공주인 내가 할 일이니까."

크게 심호흡을 한 리샤는 누워서 천장을 올려다보았다.

이 강렬한 긴장과 불안.

그래도 다음 희망과 연결하기 위해서 몸을 회복시키려고 눈을 감았다.

†

그리고 몇 시간 후.

리샤 일행은 원정군 지휘관 대행인 롤로트의 호출을 받고 저녁 식사 자리에 참석했다.

"차린 음식이 변변찮지만, 전장이니 너그럽게 봐주세요."

롤로트는 겸손하게 말했지만 충분히 호화로운 상차림이었다.

이것은 미리 식량을 대량으로 비축해둔 마기알카의 수완이 뛰어나며, 현재 전황이 소강상태라는 증거였다.

따뜻한 수프와 소금기를 뺀 염장 고기와 빵, 치즈와 와인을 먹으며 리샤 일행은 자세한 전황을 들었다.

고성 주변을 지키는 환신수의 숫자는 아직 많지만, 그래도 절반 이하까지 줄였다는 것.

『대성역』도 다른 유적과 동일하게 여러 층으로 나뉘어 있으며, 후반 부분에 중추라고 불리는 제어실이 존재하는 모양이라는 것.

『창조주』 일당은 타인이 그곳에 진입하는 것을 막기 위하여 『칠용기성』을 제압했고, 원군의 발목을 붙잡기 위해 왕후귀족 말살 선전을 했을 것이라는 이야기를 들었다.

여기까지는 리샤 일행이 듣고 예상한 것과 크게 다르지 않았다.

"애초에 『칠용기성』 여러분은 어떻게 붙잡힌 것이죠? 그 뛰어난 실력자들이, 순순히 당하는 건 말도 안 된다고 생각합니다만."

세리스의 솔직한 질문에 롤로트는 약간 곤란한 표정으로 대답했다.

"이건 저도 들은 이야기인데, 그『창조주』일당은『세례』라는 시술을 통해서 유적 기능을 일부 사용할 수 있다고 해요."

제1 황녀 리스테르카는 신탁의 무녀로서『대성역』의 정보를 얻고 간단한 조작을 할 수 있다.

제3 황녀 헤이즈는 각 유적의 통괄자에 대한 지배권을 가지고 있다.

그리고— 반하임 공국의『칠용기성』보좌관, 코랄이라는 인물로 위장하고 있던 제2 황녀 에이릴은 인식을 조작할 수 있다고 예측 중이라고 했다.

"사실, 마기알카는 처음부터 코랄 경을 의심하고 있었어요. 그래서 우리 종자들에게 비밀리에 그의 동향을 감시하라고 지시했죠. 그래서 **그녀**가 배신하는 동시에 정체를 알아낸 겁니다."

"설마, 그 녀석이 우리의 적이었을 줄이야……."

믿을 수 없다는 투로 리샤가 중얼거렸다.

에이릴에게 도움 받은 경험도 여러 번 있는 만큼, 그 얼굴에서는 복잡한 감정이 배어나왔다.

"아마 그녀도 감시의 눈길을 알아차렸을 거예요. 그래서 그동안에는 대담하게 행동하지 않은 거겠지만, 결국 그 비장의 수단을 꺼내든 거겠죠."

"루우네는, 무사해?"

권하는 대로 5인분 째 음식을 먹던 피르히가 갑자기 대화의 흐름을 끊으며 물어보았다.

롤로트는 잠시 생각하다가 살짝 고개를 들며 대답했다.

"솔직히 말씀드리자면, 현재로선 아무 것도 몰라요. 전선은 어떻게든 유지하고 있지만, 부끄럽게도 그 정도가 최선인 상황이거든요."

마음 같아서는 『칠용기성』을 구출하고 고성 지하의 『대성역』을 공략하고 싶었다.

그러나 고성에는 더욱 많은 함정과 환신수가 도사리고 있는 까닭에, 현재로서는 거기까지 공격할 전력이 부족했다.

무리하게 공격을 반복하다 전력을 잃고 역습당해 거점을 빼앗기게 된다면 그때는 패배가 확정되고 만다.

따라서 적진의 정보를 수집하는 것조차 쉽지 않은 형편이었다.

"하지만 제 개인적인 의견을 말씀드리자면, 최소한 룩스 씨는 살아 계실 가능성이 높다고 생각합니다. 『창조주』를 가로막는 위협인 여러분, 신왕국 『기사단』을 상대할 수 있는 유용한 인질이니까요."

"그런가."

리샤는 눈을 감고 나직하게 대답한 다음 곧바로 그 진홍색 두 눈을 떴다.

"요약하자면 이렇게 되겠군. 이 국면에서 우리가 활약하기를 기대한다. 너도 우리가 도착하기를 기다리고 있었다."

"네, 그 말씀대로예요."

미안해하는 것처럼 눈꼬리를 내리며 롤로트가 고개를 끄덕였다.

"유감스럽게도 저는 기룡 적성이 낮아서 범용형 《드레이크》를 운용하는 게 고작입니다. 신장기룡 사용자이신 츠바이베르크 경 혼자서는 요새를 지키는 것만으로도 벅찬 상황이고요."

"『창조주』 일당이 선고한 카운트다운 종료일까지는 앞으로 7일 남았어. 그 전에 고성에 잠입해서 정보를 수집하고 『칠용기성』을 탈환하는 것. 우리가 해야 할 일은 이거면 되지?"

마지막으로 크루루시퍼가 정리하자 롤로트는 천천히 고개를 끄덕이며 감사를 표했다.

"저희는 이 거점을 중심으로 힘닿는 데까지 서포트 해드리겠습니다. 인력이건 물자건, 필요한 게 있다면 무엇이든 말씀해주세요. 미래는 여러분의 활약에 달려 있으니까요."

"맡겨만 달라고! 반드시 룩스를—『칠용기성』을 구해낼 테니까!"

신왕국 왕녀로서 자신과 타인을 고무하는 것처럼 리샤가 외쳤다.

그녀에게 동의하는 것처럼 나머지 세 사람도 고개를 끄덕였다.

"그래, 꼭 성공할 거야. 다른 누가 아닌 우리를 위해서."

"그렇죠. 여기서 그를 구출하지 못한다면 학원 사람들을 볼 낯이 없을 겁니다."

"루우를, 빨리 만나고 싶어."

크루루시퍼, 세리스, 피르히가 저마다 결의를 밝힌 것을 끝으로 저녁 식사를 마친 사람들은 해산했다.

세계의 운명을 결정하게 될, 폐도 게르니카에서 보내는 7일.

그 시작을 알리는 긴 밤이 폭풍 전의 고요를 암시하는 것처럼 깊어져갔다.

†

"과연 괜찮을는지요, 리스테르카 님."

리샤 일행이 『대성역』 공략 및 『칠용기성』 탈환을 다짐하며 의욕을 고취하고 있을 무렵.

수 키르 떨어진 곳에 위치한 고성 침실에서 리스테르카는 옷을 벗고 있었다.

"무엇 말인가요? 미스시스. 총명한 당신답지 않게 막연한 질문이로군요. 그렇게 조심스러워 할 것 없어요. 화내지 않을 테니까. 물론 후길에 대한 모욕은 예외지만요."

그렇게 대답하고 놀리는 것처럼 웃은 후 소녀는 뺨을 발갛게 물들였다.

흐르는 피마저 보일 것처럼 하얗고 보드라운 피부.

풍성하고 곧게 뻗은 긴 은발.

그리고 몸에 걸친 순백색 속옷처럼 그녀는 순수하다.

리스테르카와 미스시스가 있는 곳은 룩스와 에이릴이 쓰는 것과는 다른 침실이었다.

고성 주위와 내부에는 수많은 함정과 흉악한 환신수가 가득하다. 그러나 몇몇 안전지대가 존재하며, 환신수는 그곳에는 접근하지 않는다.

그것을 인식할 수 있는 것이 리스테르카가 『세례』를 통해 얻은 힘—『대성역』의 시스템 일부를 조종하는 능력이다.

각 유적에서 가져온 식량과 의류를 미리 그 안전지대에 모으고, 준비해온 물자로 간단히 거점을 개조했다.

"……."

그 방 안에서 주인의 말을 듣고 미스시스는 머뭇거렸고, 망설인 끝에 입을 열었다.

"약간 관계있을지도 모릅니다. 에이릴 황녀 전하께, 그를 맡기는 것을 허가하신 것에 대한 이야기입니다."

"아아, 그 룩스 아카디아 말이군요."

"네."

황녀 리스테르카의 말에 시녀 미스시스는 즉시 고개를 끄덕였다.

"아무리 『쐐기』를 채워두었다지만, 그를 『카드』로 활용하는 것은 다소 위험할 것으로 사료됩니다만."

"그렇겠죠."

리스테르카는 어째서인지 장난스럽게 웃었다.

잠옷을 다 입은 그녀는 캐노피 침대에 앉았다.

"그의 저력이 대단하다는 건 『칠용기성』 내에서 중심인물이

된 인품만 보아도 알 수 있어요. 후길 수준은 못 되더라도 그럭저럭 유능하겠죠. 외모만 보면 못미더운 소년이지만."

"그렇다면— 어째서 허락하셨습니까?"

극히 냉정한 미스시스의 질문에 리스테르카는 가볍게 기지개를 켰다.

후아…… 소리를 내며 입에 살짝 손을 대고 하품하는 모습은 외모에 걸맞게 귀여웠다.

"뭐, 후길이 선택했다는 점도 있지만, 아까 말했듯이 에이릴에게 주는 상이기도 해요. 헤이즈 같은 불량 동생이랑은 다르게, 혼자서 몇 개월이나 다른 사람을 연기하며 사명을 완수해 주었으니까."

"……"

"그리고 에이릴이 어떤 마음인지 조금은 알 것 같아요. 우리도 한창 그럴 만한 나이의 여자니까, 반려가 될 사람을 찾으려하는 건 본능이죠. 과거에 군림했던 시작의 황녀— 아샤리아도 『하얀 영웅』이라는 소년을 측근으로 두었다는 구전이 전해지잖아요? 원래는 신분 차이 탓에 이루어질 수 없는 사랑…… 제가 후길에게 애정을 품는 것과 비슷한 측면도 있구요."

"그렇습니까."

"대답이 신통치 않은 걸 보니, 아직 납득할 수 없나 보군요?"

리스테르카는 한숨을 쉬고 침대에 누우며 팔다리를 쭉 뻗었다.

미스시스가 옆으로 다가와 이불을 덮어주며 조용히 말했다.

"제게는 일말의 불안이 남아 있습니다. 확실히 『대성역』을 공략하려면 아무리 우리라 해도 그만한 노력을 들여야 하겠지요. 보유한 전력은 충분하나, 여력을 남겨두고 싶은 것도 사실이니까요. 그러므로 그 소년— 룩스 아카디아를 카드로 쓰는 것이 상책이라는 점에는 동의합니다만……."

"만에 하나라도 목걸이가 벗겨졌을 때를 우려하고 있군요?"

리스테르카가 지적하자 미스시스는 진지한 얼굴로 고개를 끄덕였다.

명령에 거역하거나, 반항 의지를 품거나, 억지로 풀려고 하거나, 단순히 강한 충격을 받기만 해도 전기 충격을 가하는 『쐐기』지만, 미스시스는 어떤 사태를 우려하고 있었다.

그 내용은 어떻게 보면 황녀들에 대한 의심과 모욕이라고도 할 수 있었다.

무작정 꺼내기에는 꺼려지는 말이었다.

"에이릴이 우리를 배신하고 먼저 움직여서, 그 소년과 『대성역』에 진입할 가능성 말이죠?"

"……?!"

예쁜 입술에서 흘러나온, 핵심을 파고드는 한마디.

그 말의 내용에 포커페이스인 미스시스조차 무심코 할 말을 잃었다.

정곡이었다.

에이릴은 너무나도 오랫동안 『창조주』 곁에서 떨어져 스파이 활동을 해왔다.

세계 연합의 중심부대에게도 의심받지 않을 정도로 기탄없이 지내왔다.

동정심을 품은 그녀가 그들을 도와줄 가능성도 제로는 아니었다.

"걱정할 것 없답니다, 미스시스. 에이릴이 우리를 배신할 일은 없어요. 그 아이 역시 저나 헤이즈처럼 과거의 비극을 똑똑히 기억하고 있으니까."

"……."

"우리가 그『배신자 일족』때문에 어떠한 치욕을 겪었는데……그런 짓을 할 리가 없겠죠."

리스테르카의 울적한 옆모습을 보고서 미스시스는 아무 말도 할 수 없었다.

세계를 석권하는 절대적 지배자였던 신성 아카디아 황국 일족.

그러나『배신자 일족』이 반란을 일으켜 포학한 역습으로 맹위를 떨쳤다.

리스테르카 일행은 먼 옛날 황족용 휴면 포드에서 잠들어 그 난을 피했지만, 그 과정에서 펼쳐진 지옥도를 실제 체험으로 기억하고 있었다.

수백 년 후,『배신자 일족』의 후예가 포드를 발견하는 바람에 다시 살해당할 뻔한 차에 후길이 구해준 것도.

겨우 며칠 전 일처럼 생생하게 기억났다.

"어차피 이 세계에 우리가 편히 쉴 곳은 더 이상 없어요. 있는 것이라곤 이 유적, 우리의 선조가 남겨준 지배자의 유산이라는 긍지뿐이죠."

곱씹듯이 중얼거리며 황녀는 가만히 가슴에 손을 댔다.

"그러니까, 어떤 수단을 써서라도 저는 『대성역』을 꼭 손에넣을 거예요. 그건 정당한 행동일 테니까."

"그것은―."

"지금 『쐐기』는 우리 세 황녀만 풀 수 있게 설정해두었죠?"

미스시스가 고개를 끄덕였다.

『쐐기』는 『대성역』의 일부이며, 한 번 착용하면 그것을 풀지않는 한 세 번째 전기 충격으로 즉사하게 설정되어 있다.

헤이즈에 의해 전기 충격이 두 차례 발동한 이력을 해제하기 위해서 에이릴은 룩스의 목걸이를 잠시 풀었다가 다시 채웠다.

거기까지는 에이릴 본인의 이야기를 듣고 리스테르카와 미스시스도 알고 있었다.

"하지만 룩스 아카디아의 『쐐기』에는 이제 에이릴의 손으로풀려고 해도, 그 순간 즉사급 전기 충격을 가하게끔 설정해두었어요. 벗기려고 한 사람조차 그 여파로 죽을 만한 위력으로요. 그러니까― 아무 문제도 없답니다."

"―으?!"

그 청렴한 미소를 보면서 미스시스는 무의식중에 등줄기에오싹해지는 것을 느꼈다.

얼핏 보기에는 우아하고 아리따운 그녀는 지배자의 냉혹함 또한 충분히 갖추고 있었다.

설정을 변경했다는 사실은 에이릴에게도 알리지 않았다.

만약 에이릴이 룩스나 다른『칠용기성』의 목걸이를 풀어주려고 한다면 그녀까지 그 자리에서 처형하겠다는 뜻이었다.

"그리고 동생들에게는 말하지 않았지만 대책은 이미 생각해두었어요. 지배자의 책략은 상황이 어떻게 움직이든 이길 수 있게끔 세워두는 것이 기본이에요. 룩스 아카디아라는 카드를 활용해서『대성역』공략이 진행된다면, 세계를 멸망시킬 다른 비책 하나를 더 꺼내들 겁니다."

"……."

자신의 혈육에게마저 자비를 품지 않고 중대한 정보를 숨기다니.

그리고 에이릴을 알아서 움직이게 놔둔 채 추가로 함정을 깔아두었다니.

진정한 두려움과 전율을 느꼈다.

그렇다면 그녀를 섬기는 미스시스 V 엑스퍼는 기도할 수밖에 없었다.

또 다른 주인인 에이릴이, 이 무시무시한 지배자와 싸우겠다고 생각하지 않기를.

자신이 걸어야 할 길 따위를 찾지도, 선택하지도 않기를.

리스테르카가 세계를 대상으로 선포한 12일의 카운트다운.

각국 대표가 폐도로 찾아와 목을 내놓지 않는다면, 그 대신 백성들을 몰살하겠다는 위협.

그 중간인 6일차 아침이 폐도 게르니카의 고성에 찾아왔다.

"으, 으음……."

너덜너덜한 커튼 사이로 들어오는 햇빛을 느끼고 룩스는 눈을 떴다.

침실에는 캐노피 침대가 하나.

에이릴이 잠들어 있는 침대 옆 소파에서 룩스는 자고 있었다.

복장은 어젯밤에 건네받은 얇은 민무늬 잠옷이다.

회중시계로 시각을 확인해보니— 오전 여섯 시였다.

항상 잡일이나 새벽 훈련을 하느라 다섯 시에 일어나는 룩스로서는 늦잠을 잔 편이다.

그렇다 해도 아침인 것은 분명한데, 역시 이상했다.

커튼 밖— 고성에서 보이는, 폐허가 된 성곽 주변 마을터의 지상과 하늘을 환신수가 활보하고 있다.

이곳은 적의 본거지 한복판이자 적 쪽으로 돌아선 처지고, 에이릴이 『대성역』을 점령할 수 있게 도와주겠다는 밀약을 나눈 상황이기도 하다.

룩스는 긴장 때문에 한숨도 못 잘 거라고 생각했지만, 이렇게 정신을 차리고 보니 푹 잔 모양이었다.

생각보다 많이 지쳤던 것일까?

아니면 내심 에이릴을 신용한다는 증거일까?

"혹시 그렇다 해도 완전히 마음을 놓을 수는 없어……."

자신의 목에 채워진 두 번째 목걸이—『쐐기』라는 구속이 존재하는 이상, 죽음은 항상 곁에 있다.

아직 붙잡혀 있는 다른『칠용기성』멤버들.

리스테르카와 헤이즈, 후길의 존재.

그리고 아마도 머지않아 자신들을 구출하러 올 리샤를 비롯한『기사단』멤버들과『대성역』의 공략—.

전황은 시시각각 변화하는 중이었으며, 어떤 톱니바퀴든 하나가 어긋나는 순간 파멸이 닥칠 터였다.

"—후우."

하지만 지금은 너무 깊게 생각해봐야 소용없는 상황이었다.

룩스가 지금까지 해온 잡일이건, 혹은 구제국의 혁명 같은 거대한 계획이건, 그곳까지 도달하기 위해서 취해야 할 행동은 동일하다.

눈앞에 닥친 일을 하나씩 차근차근 해결해나가는 수밖에 없었다.

그래서 우선 원래 목적을 알아내고자 룩스는 에이릴을 캐보기로 했다.

'나도 참, 이런 상황인데도 여자애랑 같이 밤을 보내게 되다니…….'

사실 학원에서도 처음 얼마 동안은 피르히와 방을 같이 썼으니 새삼스러울 것도 없지만, 그래도 의식하게 되는 것은 사춘기 청소년의 본능이다.

룩스는 조심스럽게 캐노피 침대를 확인했지만 에이릴은 그곳에 없었다.

"어—?"

이상했다.

에이릴이 룩스와 같은 방을 쓰는 이유는 『거래』했기 때문이고, 감시한다는 명목도 있을 텐데 어디로 가버린 것일까?

'설마, 리스테르카한테 계획이 들켰나? 아니면 헤이즈가 선수를 치려고……?'

어쩌면 거점 연합군이 새벽에 기습을 시도해서 교전 중일 가능성도 있다.

거기에 대응하느라 골머리를 앓는 중이라면 룩스도 틈을 봐서 탈출, 『칠용기성』과 합류할 기회일지도 모른다.

다만 다른 『칠용기성』들의 『쐐기』를 벗기려고 하면 양쪽 모두 감전당하기 때문에 불가능하지만.

'예상보다 흐름이 빨리 바뀌려는 걸지도 몰라. 리샤 님 일행이 왔다고 하기에는, 아무리 그래도 너무 이른데—.'

룩스는 장의로 갈아입은 후 침실에서 나가려고 문손잡이에 손을 뻗었다.

멋대로 밖으로 나가면 이제 돌이킬 수 없게 된다.

"어……?!"

에이릴과 한 약속을 지킬 것인가. 아니면 위험을 무릅쓰고 살아남는 길을 모색할 것인가.

룩스의 생각이 천칭 위에 올라가서 요동치고 있는데, 마침 눈앞의 문손잡이가 돌아가더니 문이 열렸다.

전기 충격을 예상한 찰나, 전혀 예상치 못한 광경이 룩스의 시야를 점령했다.

"앗, 룩스 군. 일어났구나? 잘 때 불편하진 않았어? 목걸이라든지—."

"……."

에이프런 차림이었다.

장의 위에 새하얀 에이프런을 걸친 에이릴이 진지한 표정으로 쟁반을 들고 있었다.

쟁반 위의 바구니에는 갓 구운 빵, 채소 스틱, 그리고 베이컨과 함께 구운 달걀 프라이, 수프와 물잔이 있었다.

어딜 어떻게 보나 아침 식사 준비를 해온 에이릴을 보며 룩스는 눈을 동그랗게 뜬 채 굳어버렸다.

"응? 룩스 군, 왜 그래? 평소에 아침밥 안 먹어?"

"아니, 매일 먹는데…… 그 옷차림은…….."

"아, 아하하……. 역시 좀 이상해 보이지? 장의 위에 이런 걸 걸치다니. 요리를 하자는 생각도, 오늘 아침에 갑자기 떠올라서……."

지금 옷차림이 부자연스럽다는 점을 뒤늦게 알아차렸는지 에이릴은 뺨을 살짝 물들이며 부끄러워했다.

천 면적이 작은 장의 덕분에 신비한 색기가 느껴졌지만, 너

무 빤히 보지 않도록 주의했다.

일단 침실에 비치된 테이블에 앉아 음식이 식기 전에 아침 식사를 하기로 했다.

"이거, 설마 직접 만든 거야?"

식사를 하면서 룩스는 무심결에 묻고 말았다.

"어, 여, 역시 맛없어? 얌전히 미스시스한테 맡길 걸 그랬나……. 실패해버렸네……."

자신 없는 듯이 시선을 피하면서 수줍게 고개를 숙이는 모습이 왠지 모르게 귀여웠다.

"아냐, 진짜 맛있어. 그냥 긴장이 풀려서, 마음이 좀 편하네."

학원 식당에서 나오는 요리도 호화롭고 맛있지만, 룩스는 이 정도가 딱 좋았다.

"그렇구나. 다행이다. 반하임 공국 사관학교에서는 직접 만드는 연습도 하거든. 아, 빵만큼은 미스시스가 구워줬지만."

안도의 한숨을 쉬면서 에이릴은 미소 지었다.

그 미소가 무척 가정적이고 소녀다워 보였기 때문에 룩스의 심장이 세차게 요동쳤다.

"그런데 왜 굳이 직접 만든 거야? 일어났더니 안 보이길래 찾으러 갈까 했다고."

룩스가 탈출하려던 것을 자연스럽게 얼버무리면서 묻자 에이릴은 고개를 살짝 갸웃하며 생각했다.

그리고 빵을 조금 뜯어서 입에 넣은 후 마침내 대답했다.

"아하하, 왜 그랬을까? 뭐, 아마도 해보고 싶었기 때문일 거야. 친구한테 식사 차려주는 거, 나도 한번 해보고 싶었거든.
분명—."

　왠지 모르게 그리워하는 듯한.

　혹은 무언가를 동경하는 듯한 아련한 눈으로 에이릴은 중
얼거렸다.

　구시대의 황족으로서 태어나 살아왔으며, 그 뒤에는 신분
을 속이며 살아야 했던 소녀.

　그러나 에이릴이 룩스를 비롯한 사람들과 함께 학원에서 생
활할 때 보여주었던 미소는 그녀의 본심이었을지도 모른다.

　"에이릴, 넌…… 평범한 삶을 원했어?"

　"응……. 너희가 다니는 학원 학생들이, 리샤 씨와 그 친구
들이 부러웠어."

　처연하게 웃으며 대답하는 에이릴을 룩스는 멍하니 바라보
았다.

　직접 준비했다는 이 식사도 그 마음의 발로인 것일까.

　그런 생각을 하며 룩스는 빠르게 식사를 마쳤다.

†

　"그럼, 출격준비 하고 있어. 난 일단 『칠용기성』 쪽을 보고
올 테니까. 그 뒤에 우리 둘이서 『대성역』 표층부를 공략하러
갈 거야. 우선 이 고성 지하에 있는 환신수 무리를 제거하고
싶거든."

드디어 구체적으로 『대성역』 공략을 시작하려는 모양이었다.

제1 황녀 리스테르카는 『세례』로 얻은 유적 간섭 능력으로 『대성역』의 기능을 일부 이용할 수 있으나, 거기에는 한계가 있는 듯했다.

그러니 환신수 제거 작업 정도에 힘을 낭비하고 싶지 않은 것은 당연했다.

'난, 기뻐해야 하는 걸까?'

이로써 일단 『창조주』 일당에게 힘을 빌려주는 처지가 될 터였으나, 그래도 연합군의 거점인 요새를 공격해서 아군과 싸우는 것은 아니었기 때문에 그나마 마음이 편했다.

"그건 알겠는데…… 괜찮겠어? 나한테서 눈을 떼도."

"응. 마음 같아선 『쐐기』에 『이 방에서 나가지 마』라고 명령하고 싶지만, 만에 하나 사고라도 터지면 곤란하니까 관둘래. 그보다도 헤이즈가 『칠용기성』에게 손을 대진 않았는지 걱정이야."

그것은 확실히 맞는 말일지도 모른다.

에이릴이 상황을 보고 올 생각이라면 맡겨두는 게 좋을 것이다.

"알았어. 준비하고 기다릴게."

"조심해야 해, 룩스 군."

그 말을 끝으로 에이릴은 침실에서 나갔다.

"혹시, 내게 옷 갈아입을 시간을 준 걸까?"

룩스가 혼잣말을 하며 옷을 다 갈아입은 몇 분 후. 돌아온 에이릴은 검대와 함께 룩스의 기공각검을 건네주었다.

범용기룡 《와이번》과 신장기룡 《바하무트》.

그리고 에이릴도 자신의 검대에 기공각검을 두 자루 차고 있었다.

"준비 다 했지? 아, 그리고 여기에 식량 약간이랑 시계, 지도하고 랜턴, 수건 등등 이것저것 챙겨놨어."

에이릴은 어쩐지 기뻐 보이는 모습으로 룩스에게 도구를 담은 작은 가방을 건네주었다.

"고마워, 에이릴."

"⋯⋯? 갑자기 인사는 왜 해?"

룩스의 입에서 감사 인사가 나오자 에이릴은 눈을 동그랗게 뜨며 어리둥절한 표정을 지었다.

"헤이즈 문제 말이야. 『칠용기성』 사람들과 내가 헤이즈한테 공격당하지 않게 신경 쓰고 있잖아."

"⋯⋯하아. 넌 정말 별나다니까. 나한테 협박당해서 강제로 이적행위까지 하게 된 상황이라는 걸 알긴 해?"

"그럴지도 모르지."

룩스는 살짝 웃고 칼집에서 기공각검을 뽑았다.

영창부를 외어 《와이번》을 소환하자 에이릴도 호응하는 것처럼 따라서 움직였다.

"―오라, 힘을 상징하는 문장의 익룡. 나의 검을 따라 비상하라, 《엑스 와이번》!"

룩스의 《와이번》보다 한층 커다란 유선형 기룡이 소환돼서 몸을 뒤덮는 장갑으로 변했다.

"그럼 가볼까? 우선 고성 지하—『대성역』까지 가는 루트를 뚫을 거야. 알겠지?"

고개를 끄덕이는 룩스. 그리고 두 사람은 문을 열고 날아올랐다.

회랑을 지나 계단을 내려가서 넓은 홀에 있는 문을 열고, 나타난 환신수 무리와 대치했다.

Episode 3 또 하나의 주인

　룩스와 에이릴이 『대성역』 공략을 시작한 날을 기준으로 3일 전, 왕립 사관 학원.

　『기사단』의 주력이 출격하고 섀도를 동원한 『창조주』의 선동이 더욱 심해져가는 가운데, 학원은 비통한 침묵으로 가라앉아 있었다.

　"이런 상황을 각오하긴 했지만, 이렇게 심할 줄은 몰랐어요."

　"Yes. 하지만 무리도 아니라고 생각합니다."

　학원 부지. 제4 기룡 격납고 지하의 어떤 방.

　아이리와 녹트는 그곳에서 여행을 떠날 채비 중이었다.

　"오빠도, 리샤 님 일행도 떠나버렸으니까요. 트라이어드 여러분이 나머지 학생들을 하나로 모으려 분투하고 있는 것 알지만……."

　"Yes. 샤리스도 티르파도 최선을 다하고 있습니다. 그런데 아이리— 정말로 당신도 폐도로 출발할 건가요?"

　"네."

　냉정한 녹트의 질문에 아이리는 두말없이 대답했다.

　마르카팔 왕국의 폐도 게르니카.

지하에 『대성역』을 감추고 있는 고성으로 아이리도 출발하려 하고 있었다.

　아이리는 『기사단』의 정보 수집 담당으로서 평소에도 리샤 일행과 함께 행동했지만, 역시나 이번에는 학원장 렐리에게 제지당했다.

　그 이유는 당연하게도 극도로 위험한 데다, 트라이어드도 아이리를 지킬 여유가 없기 때문이다.

　협력은 고사하고 룩스의 아킬레스건이 되어버릴 확률이 높다고 지적받았다.

　룩스의 신변을 걱정하는 마음이 아무리 강한들, 발목을 붙잡을 게 확실한 이상, 의미 없는 짓이었다.

　그러나 그런 마음과는 별개로 아이리에게는 나름대로 확신이 있었기 때문에 트라이어드와 동행해서 룩스를 구출하러 가기로 결정했다.

　"소피스가 저를…… 유적을 해방하기 위해서 아카디아의 피를 원한 것처럼, 『대성역』을 공략할 때도 제 피가 도움 될 가능성이 있어요. 오빠가……『칠용기성』이 적의 수중에 떨어진 지금, 제가 『대성역』을 공략하러 간다면 『창조주』의 계산이 틀어질지도 몰라요. 그리고—."

　조금 전에 렐리에게 했던 말을 옆에 있는 녹트에게 그대로 해주었다.

　친구인 자신을 진심으로 걱정하는 그녀에게 자신의 각오를 보여주기 위해서.

"『대성역』 근처에서 『창조주』가 제 존재를 알아차린다면, 저를 명확한 방해꾼으로 인식할 거예요. 요컨대 미끼 역할을 할 수 있죠."

"네……?!"

녹트는 그 말을 듣자 평소의 냉정한 표정을 무너뜨리고 놀라움을 드러냈다.

확증은 없지만 효과적인 방법일지도 모른다.

적의 의식을 다른 곳으로 돌려서 『대성역』 공략 및 룩스를 되찾을 빈틈을 만들어낼 열쇠가 될지도 모른다. 그러나—.

"녹트, 제 생각에 찬성해주겠어요?"

"……No. 로군요. 그렇지 않아도 사지(死地)나 다름없는 곳으로 가야 합니다. 지금까지와는 다르게 적은 『창조주』와 상급 환신수 무리예요. 다른 사람을 지켜줄 여유는 없습니다."

사실을 강조하며 녹스는 고개를 푹 숙였다.

그것은 아이리를 지켜주겠다고 약속할 수 없는 자신의 무력함을 부끄럽게 여기는 것처럼 보였다.

"렐리 씨에게 허가는 받았어요. 오빠의 마음을 생각하면 허락할 수 없다고 하셨지만, 학원장님께도 약점이 있거든요."

"그건—."

왠지 모르게 장난스러워 보이는 미소를 지으며 아이리는 말을 이었다.

"렐리 씨는 제 요청을 거부할 수 없을 거예요. 동생을— 피르히 씨를 위해서 목숨을 걸었고, 신왕국을 배신하면서까지 구하려고 했는걸요. 가족의 소중함을 그렇게 잘 아는 사람이, 제 마음을 이해하지 못할 리가 없잖아요."

"하지만 아이리―."

"말리지 말아요. 전 기룡사로서 싸울 수 없다는 생각을 할 때마다, 녹트가 실력이 부족하다며 느끼는 것과는 비교도 안 될 정도의 무력감을 느끼니까."

"――."

그 말을 듣고 녹트는 아무 대답도 할 수 없었다.

엄밀히 말하자면 『기사단』의 일원인 녹트와 문관인 아이리는 맡은 역할이 다르다.

그러니 동일선상에 두고 생각하는 것은 애초에 이상하다고 지적할 수도 있다.

그러나 아이리에게 가장 중요한 것은 지금 이 상황에서 오빠에게 힘이 되어줄 수 있느냐는 점 하나 뿐일 것이다.

룩스는 지금까지 아이리를 도와주었고, 그녀의 안식처를 만들어 주었다. 그렇기에 아이리는 아무 것도 하지 못하는 자기 자신을 용서할 수 없는 것이었다.

그 마음은 친구로서 충분히 이해할 수 있었다.

"저는, 종자 실격이로군요. 발트시프트 가문을 섬기는 몸으로서, 다른 사람의 뜻을 헤아려야 하는 자리에 있건만."

"매번 폐만 끼쳐서 미안해요. 하지만 항상 감사하게 생각하고 있답니다."

"Yes. 그래야죠."

아이리가 쓴웃음을 짓자 녹트는 웬일로 미소 지으며 대답했다.

"아이리의 이런 억지에도 꽤 익숙해졌습니다. 하지만 저 말고는 함께해줄 수 있는 사람이 없어요. 그러니 여느 때처럼, 목숨을 걸고 함께 하겠습니다."

"고마워요, 녹트."

아이리는 살며시 녹트의 손을 잡고 만감을 담아 감사 인사를 건넸다.

아이리의 몸을 최대한 걱정한 후에 그 마음을 받아들였다.

"—이거야 원, 이야기가 다 정리 됐나 모르겠군?"

"이쪽은 얼추 준비 끝났어~!"

그때 작은 발소리와 함께 트라이어드의 나머지 멤버인 샤리스와 티르파가 지하실에 들어왔다.

아무래도 안쪽 분위기를 파악하고 문 바로 앞에서 기다리고 있었던 모양이다.

"학원은 괜찮을까요? 우리가 전부 다 자리를 비워도……."

"사대 귀족 여러분이 여러 모로 도와주려나 봐. 신왕국 전체가 힘겨운 상황이지만, 여긴 꽤 중요한 거점이니까."

유적 『모형 정원』의 방위 거점 역할도 겸하고 있기 때문에 역시 평시보다 경비를 강화할 필요가 있는 모양이었다.

그리고 발제리드 대신 크로이처 가문 차기 가주가 된 디그 크로이처라는 인물이 그 병사들의 지휘를 맡게 되었다고 한다.

"그 일족은 뭔가 좀 불안하지만 말야. 긴급 사태니까 어쩔 수 없겠지."

"그래. 군 부사령관이신 우리 아버지도, 지금은 왕도를 지키는 것만으로도 버거우신 모양이더군. 그렇다면 이제 남은 건—"

깍지 낀 양손을 머리 뒤로 넘기며 탄식하는 티르파.

이에 고개를 끄덕인 샤리스는 얼굴을 들었다.

그 직후, 위잉거리는 독특한 기계음이 옆방에서 들려왔다.

요루카가 잠들어 있던 외딴 섬에서 가져온 유적의 설비— 치료와 회복을 도와주는 휴면 포드에서 나는 소리였다.

"아이리 아가씨가 해독한 고대 문자 기록이 정확하다면, 분명 이 시간에 끝날 예정이었지."

"마중하러 가요. 그녀를—"

"그러실 필요는 없답니다."

아이리가 그렇게 말하며 방을 나서기 전에 방문이 먼저 열렸다.

그리고 안으로 들어온 인물은 동물처럼 유연한 몸과 아름다운 흑발을 가진 소녀— 키리히메 요루카였다.

"치료가 끝나기 조금 전부터 의식은 돌아와 있었으니까요."

피르히와 로자 그랑하이드를 치료한 후에야 자리가 난 휴면 포드는 에너지가 바닥나기 직전이었기 때문에 치료하는 데 시간이 걸렸다.

싱글렌과 사투를 벌인 끝에 전투불능 상태가 될 정도로 심각하게 다친 요루카는 상처를 빠르게 치료하기 위해 지난번 전투 이후로 계속 포드에 들어가 있었다.

"그럼, 바로 주인님께 달려가도록 하지요. 우리가 목숨을 거는 정도로 구출할 가능성이 올라간다면 저렴한 편이니까."

티 없이 맑게 웃으며 요루카가 말했다.

아이리와 트라이어드는 서로 얼굴을 마주보다가 고개를 설레설레 저으며 한숨을 쉬었다.

이 『제국의 흉인』 앞에서는 자신들의 각오가 별 것 아닌 것처럼 느껴졌다.

"맞는 말이야. 요루카 아가씨가 함께 해준다면 천군만마가 따로 없지. 몸 상태에 따라서는 두고 가거나, 며칠 더 쉬게 하는 것도 고려했는데―."

"그럴 필요는 없사와요. 제 기공각검은 어디 있나요?"

"여기 잘 챙겨놨어요. 그보다 옷 좀 입어주세요. 보고 있는 제가 다 창피하니까……."

아이리는 한숨을 내쉬며 《야토노카미》의 기공각검을 내밀었다.

하지만 결국 요루카의 알몸을 직시하지 못하고 뺨을 붉게 물들인 채 시선을 돌렸다.

"아~ 뭐랄까, 몸매 참 좋네에……. 피부도 깨끗하고, 이 정도면 루크찌도 한 방에 넘어가려나―? 앗……!"

약간 낙심한 것처럼 티르파가 중얼거리자, 샤리스도 복잡한 표정으로 수긍했다.

"그러게 말이야. 이건 좀 곤란하군. 기룡사로서의 능력만이 아니라, 그쪽 방면으로도 못 이길지도 모르겠는데―."

"Yes. 걱정할 것 없습니다, 샤리스. 가슴만을 따진다면 좋은 승부가 될 것이라고 생각하는지라. 오랫동안 보아온 제 주관이긴 합니다만."

"그, 그래? 그보다, 멋대로 내 알몸이랑 비교하지 마!"

조금 기대하는 표정을 보이던 샤리스가 당황하며 소리쳤다.

세 사람의 이야기를 듣고 있던 요루카는 건네받은 장의로 갈아입으며 진지한 얼굴로 입을 열었다.

"문제없사와요. 주인님의 측실은 많을수록 좋으니까. 제 기준으로는, 세 분 모두 충분히 후보가 될 수 있답니다."

"으엥?!"

"그, 그건— 진심, 인가?"

"Yes. 저까지, 포함되는 겁니까?"

요루카의 느닷없는 폭탄발언에 티르파가 놀라고, 샤리스가 당황하고, 마지막으로 녹트가 진지한 표정을 유지한 채 부끄러워했다.

형언하기 힘든 침묵이 그 자리를 가득 채웠을 때, 누군가의 목소리가 지하실 안에서 쩌렁쩌렁 울려 퍼졌다.

"정말, 다들 적당히 좀 하세요! 이런 상황에서까지 무슨 생각들을 하시는 건가요?!"

아이리가 일갈하자 트라이어드 세 사람은 쓴웃음을 지으며 사과했고, 요루카는 왜 화내는 것인지 이해하지 못하고 고개를 갸웃거렸다.

지금까지 누적되었던 긴장감을 깨부수는 이야기를 듣다가

자기도 모르게 힘이 빠진 아이리는 어깨를 축 늘어뜨렸다.

진심으로 그녀들의 태도가 어이없었다.

하지만, 그러는 동시에 왠지 기쁘기도 했다.

이렇게 속마음을 잘 아는 동료들과 함께 있을 수 있는 시간이.

전장에 뛰어들기 전에 평소처럼 잡담을 나누고, 웃을 수 있는 시간이.

'행복, 하네요. 이런 시간은.'

룩스와 같은 죄인의 삶을 살아보았기 때문에 강하게 느꼈다.

그리고 트라이어드만이 아니라 요루카와도 함께 있을 수 있게 된 것은 룩스 덕분이다.

그런 아이리의 침묵을 의아하게 생각했는지 요루카가 불쑥 얼굴을 내밀며 속삭였다.

"걱정할 것 없사와요. 아이리 씨. 근친혼이라는 수단도, 왕족 사이에서는 그다지 드문 일이 아니니까요—."

"그걸 지금 배려라고 하는 거예요?!"

아이리는 얼굴을 새빨갛게 물들이며 받아쳤다.

분명 룩스도 평소에 이런 기분을 느끼고 있으리라.

"아하하하. 그럼 기분도 얼추 풀렸으니 출발해볼까? 그를— 우리의 소중한 동료를 되찾으러."

트라이어드의 리더인 샤리스의 말을 끝으로 그곳에 모인 모두가 출발 채비에 박차를 가했다.

이동할 때는 체력 소모가 상당하므로 국경까지는 『기사단』 멤버들의 도움을 받고, 거기서부터 마르카팔 왕국에 진입하기로 했다.

　리샤 일행이 출발한 날보다 정확히 이틀 늦게, 아이리 일행은 신왕국에서 출발했다.

†

　한편, 현재 마르카팔 왕국. 폐도 게르니카.

　고성 1층의 로비.

　룩스와 에이릴은 넓은 홀에 득시글대던 환신수 무리를 처리한 후, 계단을 통해 지하로 내려가는 루트를 탐색 중이었다.

　언뜻 보기에는 크기만 한 고성 같아도 그 복잡한 구조는 상당히 성가셨다.

　이미 힘을 합쳐 십여 마리 이상의 환신수를 격파했지만 아직 방심하기에는 일렀다.

　함정을 피할 수 있는 것은 에이릴이 가진 정보 덕분이었는데, 여기서부터는 아직 확인되지 않은 구역도 나오는 모양이었다.

　"후우, 잠깐 쉬었다 갈까? 분명 이 주변에도 안전지대가 있을 텐데."

　신왕국에 남은 아이리 일행이 학원에서 출발한 날에서 사흘 후. 룩스는 에이릴의 지시를 따라 『대성역』을 공략하고 있었다.

　표층부를 돌파하여 가장 안쪽에 있는 문을 열면 중요한 거점이 쭉 펼쳐져 있는 심층부에 침입할 수 있다.

그것은 어지럽게 얽힌 지하 미궁 안쪽에 숨겨져 있는 모양이므로 우선 문부터 찾아야 했다.

헤이즈는 여전히 세계 연합의 요새를 공격하며 마기알카의 보좌관 롤로트, 싱글렌의 보좌관 츠바이베르크가 지휘하는 백령 기사단을 상대하고 있는 듯했다.

그들의 잠입을 막기 위해 헤이즈가 환신수를 지휘하며 견제하고, 그런 한편으로 에이릴과 룩스는 『대성역』으로 가는 길을 열었다.

제1 황녀 리스테르카는 『천궁』이라고 불리는 공중 궁전에서 그 양쪽을 전부 감시하며 총지휘를 맡았다.

리스테르카 자신의 호위는 후길, 일상생활 보조 및 정보 전달은 시녀 미스시스 담당이었다.

『칠용기성』은 전부 고성 부지 안의 예배당으로 옮겨져 그곳에 모여 있었다.

룩스를 제외한 인원들은 단순한 인질로 취급했기 때문에, 두목을 잃은 『용비적』 잔당에게 명령해서 감시 중이었다.

"현재로선 그런 상황이야. 우리 『창조주』 진영은—."

에이릴은 그렇게 말하며 미리 준비해온 샌드위치를 조금 깨물었다.

환신수들이 노리지 않는 안전지대인 작은 방에서 휴식하기 시작했을 즈음에는 이미 몇 시간이 지나 있었다.

짬짬이 피리도 병용했기 때문에 전투 때 크게 고생하진 않았지만, 청각이 없는 환신수 등도 있어서 마냥 방심할 수는 없었다.

"하나 물어봐도 돼?『대성역』에 관해서—."

"응. 내가 대답해줄 수 있는 범위라면야."

문득 머릿속을 스치고 지나간 룩스의 의문.

에이릴이 허가하자 그것을 입 밖으로 꺼냈다.

"어째서 환신수들이, 유적의 원래 주인인『창조주』에게까지 이렇게 덤벼드는 거야? 유적 자체도 그렇고, 뭔가 이상하지 않아?"

"역시, 그렇게 생각하는구나."

그 질문에 에이릴은 난처한 미소를 지었다.

"확실히 외부 침입을 막는 방어기구가 자동으로 작동하고 있을 뿐이라면, 최소한 우리만큼은 공격하지 않도록 만들었겠지."

낡은 방에 있던 의자에 앉으며 에이릴은 문득 천장을 올려다보았다.

"아마도, 맨 처음에는 그랬을 거야. 환신수는 분명 처음에는 적대자를 섬멸하기 위해서 창조되었고, 이용되었어. 하지만 어느 순간 누군가가 명령을 바꿔 입력했지. 가리지 않고, 어느 쪽이든 공격하게끔. 최종적으로 그렇게 되고 말았어."

"……그건, 혹시 우리 선조 때문이야?"

오래전에는 약소국에 불과했던 아카디아 황국의 일족.

그들은 세계를 지배했지만, 적이 사라지자 내부에서 지배와 격차가 생겨났다.

압제 정치와 탄압, 부당한 착취에 고통 받던 평민들은 특권 계급인 『창조주』에게 반기를 들었고, 혁명을 일으켜 『배신자 일족』이라고 불렸다.

그것이 룩스의 선조.

5년 전에 멸망한 아카디아 제국의 전신일 것이라고, 룩스는 지금까지 얻은 정보를 통해 추측했다.

그렇기 때문에 헤이즈가 그 후예인 룩스를 증오하는 것이라고.

"그럴지도 몰라. 특히나 헤이즈는 그게 틀림없다고 생각하는 것 같지만, 나 개인적으로는 그렇다는 확신이 안 들어. 생각해봐. 만약 그들이 진짜로 『대성역』에 도착해서 시스템을 수정했다면, 자신들의 혈통만큼은 아무 피해 받지 않게끔 설정하지 않았을까?"

"……."

에이릴의 생각에는 룩스도 동감했다.

하지만 그렇다면 기묘한 수수께끼가 남는다.

환신수의 원래 습성에 손을 대서 유적 침입을 막기 위한 장치로 바꿔버린 존재가 있다.

그것은 누구인가?

무슨 목적으로 그런 짓을 했는지 알 수 없는 것이다.

"하지만, 난 조금 짚이는 데가 있어. 어쩌면 그 유적 방어 시스템은—."

에이릴이 진지한 표정으로 말하려는 찰나 기이한 소리가 들렸다.

위이이— 오오오오오오오오.

술렁술렁, 살의를 띤 거무칙칙한 흉조의 메아리.

주위에 깔린 환신수들이 내는 것과는 확연하게 다른 기이한 소리였다.

"이 기척은— 설마, 『성식』이 부활했나?!"

"……?!"

에이릴의 긴박한 표정을 본 룩스도 무심코 숨을 삼켰다.

『성식』은 몇번이든지 되살아나는 최대최강의 라그나뢰크.

이미 여러 차례 쓰러뜨렸지만, 그때마다 새로운 힘을 가지고 부활했다.

이곳—『대성역』에서 다시 출몰한다면 조우할 가능성은 높았다.

하지만 목소리를 죽이고 귀를 기울이자 이번에는 다른 소리가 들려왔다.

규칙적인 기계음— 장갑기룡이 작동하는 소리였다.

"—응?!"

통솔자를 잃은 『용비적』의 잔존부대는 리스테르카의 휘하로 들어갔으니, 명령도 받지 않았는데 그들이 이곳에 올 리는 없다. 그렇다면—.

"룩스 군! 피해!"

에이릴의 경고를 듣고 자세를 잡는 것보다도 방문이 먼저 부서져나가며 『대답』이 나타났다.

끝이 말뚝처럼 뾰족한 보라색 와이어 체인.

피르히의 신장기룡《티폰》의 특수 무장,《용교박쇄》^{파일 앵커}다.

반사적으로 기공각검을 뽑았지만 그때는 이미 늦었다.

와이어 체인에 몸이 묶인 룩스는 순식간에 끌려갔다.

방 밖에는 예상대로《티폰》을 착용한 피르히가 있었다.

"루우. 붙잡았어."

"훌륭합니다, 피르히."

천연덕스러우면서 멍한 소녀의 목소리.

그리고 그 옆에서 들려오는 늠름한 음성에 룩스는 눈을 크게 떴다.

피르히와 함께 있는 사람은《린드부름》을 착용한 세리스티아.

재회하게 되며 긴장이 풀렸는지 두 사람의 얼굴에는 따스한 미소가 살짝 떠올랐다.

"피르히! 세리스 선배! 여긴 어떻게……?!"

룩스가 저도 모르게 큰 소리로 물었다.

"루우의 냄새를, 맡았으니까."

소꿉친구 소녀는 당연하다는 것처럼 대답했다.

"리즈샤르테와 크루루시퍼가 헤이즈의 군세를 상대하고 있습니다. 덕분에 이곳에 잠입할 틈이 생겼죠."

세리스는 이렇게 되기까지의 과정을 조리 있게 이야기했다.

리샤 일행이 이곳에 도착한 것은 아무리 빨라도 그저께일 텐데, 그 짧은 기간에 전황을 크게 바꾼 모양이었다.

적어도 고성 주위의 방어선을 돌파해서 단숨에 이 회랑까지 맹추격한 그 능력은 거짓이 아니다.

어쩌면 룩스를 되찾으려 하는 소녀들의 강한 의지가 빚어낸 결과인 것일까?

그것이 무엇이든지 간에, 결과적으로 남은 리샤 일행을 최대의 장애물로 간주한 리스테르카의 경계는 정확했다고 할 수 있었다.

오산은 하나.

리스테르카가 지금까지 여러 유적을 공략하는 데 이용해온 그녀들은, 룩스와 함께 사선을 수없이 넘나들면서— 상상 이상으로 강해졌다는 점이다.

"피르히! 당신은 룩스를 데리고 이탈하세요. 저는 추격자를 막겠습니다."

"둘 다 잠깐만요! 전 여기서 떠날 수 없—"

『쐐기』의 구속 때문에 이 고성에서 멀리 떨어지면 전기 충격을 받을뿐더러, 무엇보다도— 지금은 상황이 여의치 않았다.

『대성역』을 손에 넣겠다고 말한 에이릴과의 거래에 막 응한 상황이니까.

"—미안하지만, 그를 돌려받아야겠어."

"……윽?!"

회랑에 흐르는 차가운 공기를 가르고 에이릴의 투명한 목소리가 룩스 일행에게 닿았다.

반사적으로 자세를 잡은 순간, 섬광이 대기를 찢고 피르히의 《티폰》을 노리며 날아왔다.

"……그렇겐 못 해."

직선 궤도를 그리는 섬광을 피르히는 장벽을 전개해서 받아냈다.

그러나 바늘처럼 한 점에 집중된 위력은 그것을 꿰뚫었고, 광선 끝이 《티폰》의 장갑팔 오른쪽 팔꿈치에 얽혔다.

"……? 이건, 뭐야?

무표정한 피르히의 얼굴에 의문의 빛이 살짝 떠올랐다.

그 의문은 바로 풀렸다.

휘감긴 빛의 선이 수평으로 미끄러지면서 《티폰》의 장갑팔이 당겨지기라도 한 것처럼 바깥쪽으로 벌어졌다.

룩스를 안고 있던 《티폰》의 자세가 무너진 직후, 얽혔던 빛의 선이 풀리더니 눈에 비치지도 않는 속도로 룩스를 묶으며 낚아챘다.

"이게 무슨……?!"

너무나도 뛰어난 솜씨였다. 신기라는 말이 떠오르는 에이릴의 움직임을, 처음 겪어보는 두 사람은 역시나 대처할 수 없었다.

당사자인 룩스조차 솔직히 무슨 일이 일어났는지 모를 정도였다.

영락없이 광선 종류인줄 알았더니 아무래도 에너지를 방출해서 만든 채찍인 듯했다.

용미강선과 비슷한 무기였으나 그 위력과 정밀도, 사정거리
는 차원이 달라 보였다.

"그게 당신이 처음부터 가지고 있던 신장기룡입니까. 코랄—
아니, 신성 아카디아 황국 제2 황녀, 에이릴 뷔 아카디아."

"……헛?!"

세리스가 지적하자 룩스는 반사적으로 뒤를 돌아보았다.

이미 그 자리에 《엑스 와이번》은 없었다. 그 대신 장엄하고
예리한 형태의 장갑이 존재했다.

검은색과 연녹색 두 가지로 채색된 구렁이의 머리를 본뜬
어깨가 그 공격성을 말하고 있었다.

오른손에 쥔 채찍형 특수 무장은 연한 황록색 빛을 띤 채
회랑 바닥에 드리워져 있었다.

"악룡 《자하크》. 그게 내가 조종하는 신장기룡의 이름이야."

"……."

그것을 본 세리스의 얼굴에 경계하는 빛이 떠올랐다.

신장기룡과 신장기룡이 전투할 때는 상대측 신장 능력의 이
해 여부가 큰 영향을 미친다.

어떤 강자일지라도 미지의 기술에는 약하기 때문이다.

그러나 머뭇거린 것은 겨우 1초뿐이었다.

"《지배자의 신역》."

《린드부름》의 장갑이 빛나며 세리스를 중심으로 수십 ml범
위에 빛의 영역이 생성됐다.

그 범위 안이라면 순식간에 이동할 수 있게 해주는 《린드

부름》의 신장.

전투 상황에서 적과 자신의 거리를 완벽하게 지배할 수 있는 대단히 강력한 능력이다.

따라서 발동하기만 해도 공방이 유리해진다.

게다가 대거 등을 투척하고 명중하는 타이밍에 맞춰서 《지배자의 신역》으로 접근, 동시에 공격하는 세리스의 전술 『중격』 등도 쓸 수 있게 된다.

"그렇다면 보여주시죠. 당신의 힘과 그 각오를—"

바야흐로 세리스가 그 기술을 펼치기 위해 대거를 들었다.

그 옆에서 피르히가 룩스를 되찾으려고 틈을 살피는 순간, 에이릴이 움직였다.

"—미안한데, 지금 너희에게 그를 돌려줄 수는 없어."

어쩐지 허무함이 감도는 진지한 표정으로 선고한 에이릴은 숨겨두었던 뿔피리를 입에 댔다.

환신수는 안전지대에 들어오지 않지만 이 회랑까지라면 올 수 있다.

고성 내의 환신수는 아직 남아 있기 때문에 효과적인 전략이었다.

"《지배자의 신역》!"

그것을 본 세리스는 뿔피리 사용을 저지하기 위해 움직였다.

대거를 투척하는 동시에 순간이동 신장을 발동해서 공간을 도약.

순식간에 에이릴 뒤쪽으로 이동하는 즉시 특대 랜스를 내

찔렀다. 그러나—.

"……헛?!"

아름다운 비취색 두 눈이 경악으로 크게 열렸다.

어느새 눈앞에 나타난 거대한 벽이 그 혼신의 찌르기를 막아냈기 때문이다.

"이것이, 《자하크》의 신장?! 물질을 생성— 아니, 전송한 겁니까?!"

그런 세리스의 목소리가 룩스 뒤쪽에 **존재하던** 석벽을 지나서 들렸다.

게다가 환기구에서 튀어나온 환신수— 가고일과 키마이라 몇 마리가 피르히에게 연달아 달려들었다.

"머리…… 아파."

훈련을 통해 뿔피리에 대한 저항력을 기르긴 했지만 피르히의 몸에 깃든 환신수가 반응하고 말았다.

"피이! 기다려, 내가 지금—."

그 모습을 본 룩스가 《바하무트》를 고속 소환하려고 기공각검 자루에 손을 댔지만 에이릴에게 저지당했다.

"미안한데, 그녀를 돕게 놔둘 순 없어. **우리의 목적은 이게** 아니잖아."

어딘가 냉혹하게 느껴지는 에이릴의 말투.

하지만 룩스는 그 가면 밑에서 그녀 나름대로의 의도를 감지했다.

"명령에 거역하면 그『쐐기』로 전기 충격을 가할 거지만, 난 그렇게 하고 싶지 않아. 그녀들이 다치는 걸 보고 싶지 않다면—"

"……알았어."

현재 룩스와 에이릴의 목적은 어디까지나 『대성역』에 진입하는 루트 개척.

우선 표층부로 내려가서 고성과 연결되는 직통 포털을 여는 것이다.

세리스와 피르히가 환신수에게 포위당하긴 했으나 저 두 사람이라면 궁지에서 벗어날 수 있을 터다.

오히려 에이릴이 룩스에게 명령하면 두 사람과 싸워야만 하니까, 그런 상황을 피할 수 있는 것만으로도 다행이라고 생각할 수밖에 없다.

'피이, 세리스 선배. 제발 둘 다 무사하길…….'

룩스는 속으로 기도하며 《자하크》로 날아오른 에이릴 뒤를 따라갔다.

"이대로 표층부로 가서 고성과 연결되는 포털을 찾을 거야. 가장 안쪽에 있는 심층부로 가는 문을 여는 건 그 다음이고."

막다른 골목이라고 생각했던 고성 1층 회랑.

근처 벽면의 한 부분을 세게 누르자 레버가 나타났고, 에이릴이 그것을 당겼다.

눈앞의 벽이 옆으로 미끄러지더니 그 뒤에서 거대한 금속 벽이 새로 나타났다.

"이건, 유적에서 몇 번 본 건데—"

"응. 원래는 『열쇠 관리자』의 권한이 필요한데, 여긴 꽤 예전에 미스시스를 시켜서 열었어. 이젠 장소만 알면 누구든 들어올 수 있지."

하지만 바로 환신수가 재배치되기 때문에 그 상태로는 통과하기 쉽지 않다.

그래서 지금까지 길을 뚫고 온 것이었다.

"그건 그렇고 《자하크》의 사용자는, 에이릴이었구나……."

"룩스 군, 알고 있었어?"

"응. 학원제에서 로자의 부하랑 싸울 때 몰래 도와줬지? 그때부터 계속 내 상황을 지켜본 거구나."

"그렇지……."

그렇게 대답하는 에이릴의 얼굴에서 긴장은 사라지지 않았다.

그러나 세리스 일행과 교전한 방금 전과는 다르게 어쩐지 초조한 망설임 같은 게 느껴졌다.

"참고로 《자하크》의 신장은 《쌍두의 사지(邪智)》라고 해. 주변 사람들의 정신에 간섭해서 특정 기억과 인식을 제거하는 능력이지."

에이릴은 지금까지 설명할 기회가 없었던 신장에 관해 말해 주었다.

요컨대 세리스가 방금 전에 갑자기 벽이 나타났다고 생각한 이유는 처음부터 에이릴 뒤쪽에 있었다는 사실을 기억에서 지웠기 때문이다.

순수한 파괴력이 있는 것은 아니지만 여러 모로 응용하기 좋은 신장이었다.

일단 두 사람은 가까운 안전지대로 보이는 방에 들어가서 한숨 돌렸다.

"조금 쉬었다 가자. 그녀들에게 이 입구를 들키지 않은 게 다행이야. 이대로 『대성역』으로 가는 길을—."

"……그건 불허하겠습니다."

초연한 기적과 영롱한 목소리가 불현듯 머리 위쪽에서 들려왔다.

눈앞에 펼쳐진 빛의 영역과 함께 세리스와 《린드부름》이 강림했다.

"《지배자의 신역》을 이용한 공간전송……?! 하지만, 어떻게 이 장소를—."

"내가, 있으니까."

에이릴이 채찍형 특수 무장 《용인광편(龍刃光鞭)》을 든 직후, 벼락이 떨어지는 듯한 굉음이 바로 위에서 울려 퍼졌다.
블레이즈 윕

두꺼운 돌 천장이 산산이 폭발하고 충격이 퍼지는 동시에 분진이 소용돌이쳤다.

"이건—《티폰》의 《용교폭화》?!"
바이팅 플레어

붙잡은 물체나 생물에 직접 에너지를 주입해서 폭파하는 《티폰》의 특수 무장.

그것으로 천장을 부수고 위층에서 내려온 것이다.

"신장까지 사용해서 뿌리친 줄 알았더니, 사실은 마음대로 활개 치게 도와준 꼴이라니. 감쪽같이 당했네."

룩스와 함께 빠르게 거리를 벌리며 에이릴은 이마에서 땀을 한 줄기 흘렸다.

고립당한 세리스는 《린드부름》의 신장으로 순간이동해서 피르히와 합류.

신속하게 환신수를 섬멸한 다음 일반인을 능가하는 피르히의 청력으로 룩스와 에이릴이 있는 위치를 파악했다.

세리스가 《지배자의 신역》으로 내려온 직후에 피르히도 뒤를 따랐다— 그런 과정일 것이다.

덕분에 이 숨겨진 문의 위치는 완전히 드러나게 됐다.

"그렇지만도 않아요. 당신의 함정에 한 방 먹은 것은 사실입니다. 다만, 거기에 굴하지 않고 필사적으로 물고 늘어졌을 뿐이죠."

"루우는, 안 줄 거야."

탁 트인 지하 미궁 입구.

『대성역』 앞에서 다시 두 팀이 대치했다.

"아무래도 룩스는 그 야릇한 목걸이 때문에 마음대로 움직일 수 없나 보군요. 기다리고 있어요. 바로 부술 테니까."

"……미안하지만, 그렇겐 못 놔줘. 내게도, 해야만 하는 일이 있으니까."

초연한 압력을 뿜어내는 세리스와 대치한 에이릴도 양보할 수 없는 의지를 보이며 대답했다.

룩스의 상황을 파악하고 공격할 기회를 엿보는 세리스. 그리고 마찬가지로 슬금슬금 거리를 좁히는 피르히.

지금 룩스는 『쐐기』의 위협 및 에이릴과 맺은 계약상 그녀의 뜻에 따라야만 하는 처지이지만, 진심으로 임하는 세리스 일행을 막기란 쉬운 일이 아니다.

평소에는 든든한 아군인데, 적으로 돌아서니 이렇게나 무섭구나. 새삼 그런 생각이 들었다.

'그리고— 여기서 우리가 싸우는 건, 어쨌거나 위험해.'

룩스의 『쐐기』는 강한 충격만 받아도 치사량의 전기 충격을 가하며, 목에 밀착된 탓에 《지배자의 신역》으로도 벗겨내는 것은 불가능하다.

따라서 지금은 아무리 발버둥 치더라도 세계 연합 진영으로는 돌아갈 수 없다.

하지만 그렇다 해도 세리스 일행이 여기서 물러날 리도 없을 것이다.

'여기서 전투를 벌이면 에이릴은 목적을 달성 못하게 되고, 세리스 선배 일행 쪽도 힘을 소모하게 돼. 아니— 최악의 경우, 크게 다치거나 죽을지도 몰라.'

잠깐 사이에 생각을 마친 룩스는 즉시 그녀들에게 소리쳤다.

"세리스 선배! 피이! 저는 괜찮으니까, 여기서 물러나세요! 제 목걸이는 어차피 벗길 수 없고, 고성에서 멀어지는 것도 불가능해요! 이대로라면 싸울 수밖에 없다고요!"

그 말을 들은 세리스와 피르히의 표정에 미미한 동요가 일어났다.

그러나 룩스는 그녀들의 각오를 잘못 판단했다.

"알겠습니다. 그럼 결정됐군요. 그것을 조종하는 주인을 쓰러뜨리겠습니다."

"응. 그때까지 루우는 얌전히 있어줘."

"으……?!"

최악의 반응이었지만 무리도 아니었다.

에이릴이 룩스에게 제시한 『거래』 자체를 모르는 두 사람이, 아무리 룩스의 부탁이라고 하지만 그런 제안에 따라줄 리가 없다.

당연히 『쐐기』를 컨트롤하는 에이릴을 쓰러뜨리려고 할 것이다.

『—곤란해 보이는구나. 사랑하는 내 동생, 에이릴.』

그때 갑자기 어디선가 우아한 목소리가 들려와 그곳에 있던 네 사람은 숨을 삼켰다.

"리스테르카 언니?! 대체—?!"

『고성 상공에 있는 「천궁」에서 보내고 있어. 나는 「대성역」 시스템에 간섭할 수 있는 신탁의 무녀잖니. 유적 감시장치가 방 안에 있으면 너희의 동향을 어느 정도 파악할 수 있단다. 지금까지 알려주지 않았지만.』

"……."

리스테르카가 통신을 보내는 진의는 알 수 없었지만 무서운 사실이었다.

세리스 일행을 설득하기 위해서 에이릴의 계획까지 얘기했다면 모든 것이 끝장날 판이었다.

아마 에이릴은 그것을 경계해서 세리스 일행에게 아무 이야기도 하지 않은 것이리라.

"그러면— 저는 어떻게 하면 될까요?"

그 진의를 살피려는 것처럼 에이릴이 묻자 언니는 곧바로 지시를 내렸다.

『간단해. 그녀들을 무시하고 앞으로 나아가렴. 에이릴, 나는 널 믿어. 그리고 바로 그렇기 때문에 임무를 제대로 완수해주길 바라거든.』

"하지만 저들은 이대로 무시하고 지나칠 수 있을 만큼 호락호락한 상대가 아닌데—."

『괜찮아. 안심하려무나. 지금 막 그쪽으로 보냈으니까. 1천년 동안 우리를 지켜준 수호자— 황국 최강의 기룡사를.』

"——?!"

드높이 울려 퍼지는 그 목소리를 들은 순간 에이릴의 얼굴에 전율이 일어났다.

재빨리 특수무장《블레이즈 윕》을 휘둘러 빛의 채찍을 종횡무진 움직였다.

그것을 보고 자세를 잡은 세리스와 피르히의 빈틈을 노려룩스의 손을 잡아끌고 지하로 내려갔다.

리스테르카의 감시가 닿지 않는 방 바깥으로—.

"에이릴, 갑자기 왜 이래?!"

"상황이 안 좋아! 그녀들을 뿌리치고 너를 포기하게 할 거야! 아니— 차라리 고성과 연결된 포털을 찾아서 유인하겠어! 안 그러면, 분명 도망칠 수 없을 거야!"

빠르게 말하는 에이릴의 표정은 지금까지 본 적 없을 정도로 절박했다.

"무슨……소리야?"

"나도 예상치 못한 상황이야. 언니의 변덕인지, 아니면 세리스 씨 일행을 죽이기 위한 함정인지는 몰라도, 위험해. 그녀가 여기에 오는 것은 위험한 상황이라고!"

"도주는 불허합니다! 룩스를 돌려받겠습니다!"

에이릴을 쫓아 날아오는 세리스의 기세가 배후에서 느껴진다.

통로 폭이 그럭저럭 넓기는 해도 복잡한 지하미궁에서는 속도를 낼 수 없을 테지만, 그럼에도 《지배자의 신역》을 활용해서 벽을 피하며 룩스 일행을 뒤쫓았다.

"룩스 군도 얼른 찾아! 아마 어떤 기물로 위장된 채 고성과 연결된 포털이 숨겨져 있을 테니까!"

"……알았어!"

다급한 모습에 압도된 룩스는 고개를 끄덕였다.

세리스와 피르히의 추격을 신경 쓰면서 눈앞의 환신수를 빠르게 쓰러뜨렸다.

지금은 《와이번》을 착용 중이라 화력이 좀 부족했지만 그래도 그럭저럭 싸울 수 있었다.

에이릴이 채찍을 휘둘러서 환신수에 빈틈을 만들면 잠깐의 여유도 주지 않고 룩스가 마무리를 가했다.

그렇게 안쪽으로 계속 진입하는데, 갑자기 넓고 기묘한 공간이 펼쳐졌다.

"여긴, 대체—?!"

창백한 빛에 밝혀진 천장이 높은 광대한 공간.

벽에는 반투명 캡슐이 즐비하였고, 그것들은 기묘하게 진동하며 웅웅대는 소리를 냈다.

"환신수 플랜트야. 고성 주변이나 『대성역』을 지키는 환신수를 계속 생산하고 있지. 어디까지나 여러 플랜트 중 하나일 뿐이지만……."

에이릴의 설명을 듣고 룩스는 이해했다.

그러고 보니 비슷한 시설을 『방주^{아크}』에서도 본 적이 있었다.

그것보다 규모가 작은 대신에 아무 것도 없는 공간이 넓었다.

"여긴 목적지는 아닌데, 그래도 고성과 연결된 포털은 있을지도 몰라. 일단 조사해보자. 환신수가 숨어있을 수도 있으니까 조심하고."

"응."

룩스는 고개를 끄덕이고 약한 빛에 밝혀진 주위를 살피기 시작했다.

무수한 캡슐이 기둥처럼 서 있는 기묘한 공간을 기룡 다리로 천천히 돌아다닌다.

세리스 일행도 환신수에게 발목을 붙잡혔는지 당장 쫓아올 낌새는 없었다.

일단은 한숨 돌릴 수 있는 상황이었기 때문에 룩스는 조금 전 일을 물어보기로 했다.

『에이릴. 아까 한 얘기가 무슨 뜻인지, 알려줄 수 있어?』

조사 활동은 그대로 계속하며 룩스는 용성으로 물어보았다.

혹시 모를 리스테르카의 도청을 피하기 위해 가까이 있는 에이릴에게도 용성을 통해 얘기했다.

그러자 에이릴 역시 용성을 통해서 빠르게 대답했다.

『나도 깜빡 잊고 있었어. 리스테르카 언니 곁엔 거의 안 돌아갔었지만, 생각해보니 어떤 이야기를 들은 적 있어. 이 표층부에 있는 어떤 방의 기능을 조금 사용할 수 있게 됐다고. 그걸 바로 고성으로 가져가서 쓸 수 있도록 했다고…….』

『그게 뭘길래—.』

『신장기룡, 제작기야.』

"……뭣?!"

그 말을 들은 룩스는 할 말을 잃었다.

『원래 신장기룡은 같은 기체를 여러 개 만들 수 없어. 「대성역」에 의해 그렇게 정해져 있으니까. 하지만— 한 번 완전히 파괴된 뒤라면 달라져. 소실된 신장기룡도, 시간과 노력이 많이 들어가긴 하지만 다시 만들 수 있지.』

『그거랑, 아까 그 통신이 무슨 연관이 있는데?』

『우리 「창조주」의 최대 전력이 부활했어. 미스시스가 웬만해서 움직이지 않는 이유는 리스테르카 언니를 호위하는 사명을 맡고 있기 때문이야. 그리고 비장의 카드이기도 하거든. 하지만 지금, 그녀를 투입할 수 있는 조건이 갖춰졌어. 그녀가 사용하는 신장기룡의 재생이 끝난 거야.』

"……."

룩스는 조금 거리를 두고 환신수 플랜트를 탐색하면서 용성을 듣고 고개를 갸웃했다.

그러는 사이에도 고성과 연결된 포털을 계속 찾았는데, 불현듯 그 움직임이 멈췄다.

"그러고 보니…… 뭐지? 환신수 플랜트 안인데, 왜 환신수가 한 마리도 안 덤벼드는 걸까?"

이 방에 들어왔을 때부터 룩스가 느낀 기묘한 위화감.

아무리 이곳에서 생성된 환신수가 밖으로 나가게 되어 있다 해도, 이렇게 넓은 공간에 한 마리도 보이지 않는 것은 이상하다.

리스테르카가 『대성역』의 시스템에 간섭해서 미리 다른 곳으로 옮겨둔 것일까, 아니면…….

생각의 나래를 펼치던 룩스는 문득 묘한 냄새를 맡고 눈살을 찌푸렸다.

지금까지 잘 보이지 않던 안쪽 어느 지점— 창백한 빛이 꺼져 있는 그곳이 거무칙칙한 피바다로 변해 있었다.

"이건……?!"

그 광경이 무엇인지 한 박자 늦게 이해한 룩스는 할 말을 잃어버렸다.

죽어 있었다.

십여 마리— 아니, 최소한으로 잡아도 수십 마리는 될 법한 각양각색의 환신수가 조각조각 썰린 채 널브러져 있었다.

어느 것은 머리가 쪼개지고, 어느 것은 핵을 관통당하고,

어느 것은 반으로 갈라졌다.

그 사체에서 튄 피가 주위 캡슐에 묻어 빛을 가린 것이었다.

"———."

그리고 무엇보다도 룩스를 놀라게 한 것은 한 사람이 그것을 이루어냈다는 점이 아니라, 그녀가 거기에 있음을 알아차리지 못했다는 사실이었다.

숨을 죽이고, 어둠 속에 녹아든 채 적이 접근하는 그 순간을 기다리고 있었다.

룩스가 그녀의 공격 대상이었다면 지금쯤 머리가 날아갔으리라.

"미스시스 V 엑스퍼……!"

그 존재를 알아차린 룩스가 무심결에 언성을 높였다.

『창조주』의 근위병이자 강철의 의지를 지닌 과묵한 시녀.

크루루시퍼와 같은 푸른 머리카락의 여성은, 지금은 시녀복이 아닌 장의를 입고 있다.

주위에 환신수의 피가 어지럽게 튀어 있는데도 그녀와 그 몸을 감싼 장갑기룡에는 한 방울도 묻어 있지 않았다.

"그리고, 그 기룡은—."

그녀의 몸을 보호하는 두꺼운 군청색 장갑.

낯익은 그 형태를 보며 룩스는 눈을 의심했다.

"네, 신장기룡 《아지 다하카》입니다. 한 번 당신에게 파괴되었습니다만, 모든 유적이 해방되면서 겨우 재생할 수 있게 되었죠."

"……"

무기상인으로 활동하던 헤이즈가 발제리드에게 빌려준 것은 원래 그녀의 기룡이었으리라.

그 이후로 풀파워로 싸울 수 있는 《아지 다하카》의 재생이 끝날 때까지는 비장의 카드인 미스시스를 움직일 수 없었다는 것일까.

하지만 이렇게 그녀가 움직였다는 것은…….

"두 분 다 제게서 떨어지세요. 적이 옵니다."

그렇게 중얼거린 미스시스의 옆모습에는 연하게 빛나는 기하학적 문양이 떠올라 있었다.

『완전결합』.
풀 커넥트

크루루시퍼나 소피스 등, 기룡 적성이 최대인 『열쇠 관리자』만이 사용할 수 있는 특수 모드이지만, 신체에 걸리는 부담이 심한 그 기술을 미스시스는 처음부터 사용했다.

천천히 할버드를 들고 플랜트 입구를 조용히 노려보았다.

직후, 그 어둠 속에서 앵커 몇 개가 굽이치며 날아왔다.

"《티폰》의 《파일 앵커》— 첫 상대는 피르히 아인그람입니까."

원거리에서 날아오는 기습 공격에도 미스시스는 동요하지 않았다.

탄환처럼 육박하는 와이어 체인 끝을 피한 뒤 할버드를 쳐들고 돌진했다.

"와이어가 노리는 것은 제가 아니라, 뒤쪽에 있는 방해물일까요?"

"——."

미스시스가 담담하게 말한 것처럼 《파일 앵커》는 미스시스 배후에 있는 캡슐에 박혀서 그것을 고속으로 끌어당겼다.

그 사이에 있는 미스시스는 뒤쪽에서 끌려온 캡슐에 후방에서 강습당하는 형세가 되었으나—.

"한 명이 전후를 공격한다면 다른 한 명은 시간차, 아니면— 좌우나 머리 위쪽을 노리겠군요?"

《지배자의 신역》을 사용해서 지금 막 미스시스의 머리 위에 나타난 세리스가 긴장하며 눈살을 찌푸렸다.

세리스와 피르히의 연계를, 미스시스는 처음 봤음에도 불구하고 순식간에 간파했다.

"알아차린 건 훌륭하지만, 어떻게 막을 생각입니까?"

하지만 세리스는 흔들리지 않고 공중에서 《뇌광천창》을 대각선 아래를 향해 내뻗었다.
라이트닝 랜스

미스시스를 기준으로 설명하자면 눈앞 공중에서 하단을 향한 찌르기가.

전방에서는 《파일 앵커》 몇 개가 자신의 후방으로 사출되고, 그것이 끌어당긴 장애물이 등 뒤를 덮치는 구도였다.

말하자면 전후방을 동시에 노린 협공.

게다가 미스시스의 장갑 바로 옆을 여러 가닥의 와이어가 지나갔기 때문에, 그것들에 방해 받아 상하좌우로 움직이는 것조차 제한되었다.

두 사람의 신장과 호흡을 맞춘 훌륭한 전술이었다.

룩스도 경탄할 정도의 필살의 협공이 명중하려는 바로 그 순간―.

"안됐습니다만. 하나 실수하셨군요."

미스시스는 중얼거리며 무장을 쥔 오른쪽 장갑팔을 힘껏 휘둘러 우선 등 뒤에서 날아오는 캡슐에 할버드를 찔러넣었다.

동시에 세리스가 전방으로 내찌른 랜스를 《아지 다하카》는 최대출력의 장벽으로 감당해냈다.

아주 잠깐 사이에 공중에서 엄습하는 창의 찌르기를 막고, 그렇게 만들어낸 틈을 타 캡슐을 꿴 할버드를 등 뒤에서부터 머리 위로 휘둘렀다.

즉 캡슐에 꽂힌 할버드로 눈앞의 창을 강타해서 쳐냈다.

"―윽?!"

1초도 채 되지 않는 찰나에 신기에 가까운 정밀한 공방이 교차했다.

"저 연계 공격을, 그런 상황에서 막아내다니―."

룩스조차 《바하무트》의 신장을 쓰지 않고서는 회피할 수 없다고 여길 정도의 연계공격.

그런데 미스시스는 눈 하나 까딱하지 않고 가장 간결하고 최적의 동작으로 받아냈다.

"아니야! 그녀들이 위험해……!"

그러나 목소리 톤이 극단적으로 낮아진 에이릴이 옆에서 이를 갈았다.

룩스는 그 말뜻을 파악하지 못하고 당황했다. 하지만 싸우

는 세리스 일행 쪽으로 시선을 되돌리고서 그 의문은 이내 눈 녹듯 사라졌다.

그와 동시에 《자하크》는 《블레이즈 윕》을 쥐고 채찍 끝을 문 밖으로 뻗었다.

"그럼 이것으로 끝내겠습니다. ─《천 가지 마술》^{아베스타}."

"큭?!"

할버드로 세리스의 창을 쳐낸 직후 《아지 다하카》의 장갑이 눈부시게 발광하며 신장을 해방했다.

《아지 다하카》의 신장 《천 가지 마술》은 다른 장갑기룡의 에너지를 흡수하는 동시에 신장까지 빼앗는 흉악한 능력을 발휘한다.

세리스는 발제리드와 싸웠을 때 자리에 없었지만, 룩스 일행에게 이야기를 들었다.

따라서 평범한 기룡사라면 신장을 빼앗기는 것을 피하기 위해서 재빨리 물러나려 할 테지만, 세리스는 정반대를 선택했다.

위에서 아래로, 랜스가 할버드에 튕겨나갔을 때 여세를 이용해서 신속하게 창을 일회전─ 재차 자세를 가다듬고, 이번에는 직접 창을 꽂는 대신에 끝부분에서 뇌격을 방출했다.

"저건─ 뇌섬!"

《라이트닝 랜스》의 전격은 중거리까지는 방출을 통한 공격도 가능하다.

그리고 전격은 장벽으로도 방어가 불가능할뿐더러 기룡과 『완전결합』한 미스시스가 상대라면 오히려 대미지가 증폭된다.

필살의 연계가 막힌 직후인데도 전혀 망설이지 않고 최선의 동작을 선택해서 실행하는, 세리스의 날카롭게 연마된 전투 사고―『기동정석』.

한편 공격이 빗나간 피르히 다음 공격에 나설 준비에 들어갔다.

오른팔을 끌어당긴 자세로 《티폰》과 함께 탄환처럼 활주하며 미스시스에게 돌격했다.

그 오른손에 《바이팅 플레어》의 에너지를 집중해서 붙잡은 순간에 폭파할 생각이다.

재차 펼쳐지는 두 사람의 필살의 일격.

뇌섬의 전광이 닿은 직후에 《아지 다하카》의 장갑이 튕겨 날아갔다.

"……해냈다!"

"아니― 틀렸어!"

저도 모르게 소리친 룩스 옆에서 에이릴이 입술을 떨며 부정했다.

영문을 이해하지 못하고 당황한 룩스의 눈동자에 그 광경이 날아들었다.

"이건― 무엇이죠?!"

"앞에서, 공격……?"

번개에 직격당한 장갑 일부가 산탄처럼 《린드부름》을 직격하고, 이어서 《티폰》의 눈을 현혹시켰다.

동시에 거기에서 방출된 자남색 충격파가 세리스와 피르히에게 명중.

대단한 대미지는 아니었지만 추격타를 확실하게 막아냈다.

언뜻 보기에는 장갑 일부를 직접 해제하는 기룡해방과 비슷했지만, 뭔가 달랐다.

"《아지 다하카》의 특수 무장⋯⋯《기어나오는 부정》. 공격받으면 자동으로 적이나 주위에 반격용 충격파와 장갑탄을 날려. 그걸로 두 사람의 움직임을 차단한 거야⋯⋯!"

양 어깨에 장착된 포구, 《쌍두의 턱》의 뒤를 잇는 또 다른 특수 무장.

발제리드는 미숙한 탓에 사용하지 않은 모양이지만, 그 기능으로 자동 반격해서 두 사람의 공격을 차단했다.

그리고―.

"최선의 판단, 훌륭합니다. 하지만 여러분은 모르는 사이에 최대의 금기를 범했습니다. 기룡사는 저와 싸워서는 안 된다는 금기를."

"윽⋯⋯?! 이건, 이 신장은―."

"힘이, 빠져, 나가⋯⋯."

세리스와 피르히는 미스시스의 《아지 다하카》에 조금도 닿지 않았다.

신장을 빼앗기는 것을 경계해서 수 메르 거리를 유지하고 있었다.

그럼에도 불구하고 기룡의 에너지를 무시무시한 속도로 빼앗기고 있었다.

게다가 세리스와 피르히가 대책을 세우기 전에 미스시스는 움직였다.

"━━."

최적의 움직임으로 할버드를 든 《아지 다하카》가 세리스의 《린드부름》의 머리를 노려 강타했다.

세리스는 가까스로 랜스를 휘둘러 방어했지만, 그 순간 주위에 전개되어 있던 《지배자의 신역》이 만들어낸 빛의 영역이 사라졌다.

"반응속도가 뛰어나군요. 하지만 비극이네요. 『반(反)기룡사』라는 이명을 가진 제 앞에서는━ 《지배자의 신역》." ^{안티 드래곤 나이트}

세리스의 《린드부름》에서 신장을 빼앗자마 그것을 발동한 《아지 다하카》는 순식간에 이동했다.

출현 위치는 피르히의 바로 뒤. 미스시스가 할버드를 가로로 후려친 찰나 피르히의 뒤돌려차기가 작렬했다.

과거 모의전에서 세리스가 사용한 《지배자의 신역》의 출현 위치를 읽어낸, 피르히의 직감에 맡긴 반격이 명중했다.

그 여파로 플랜트 벽면까지 날아간 미스시스가 진지한 표정으로 자신의 손을 바라보았다.

"감탄밖에 안 나오는군요. 『창조주』도 『열쇠 관리자』도 아닌 인간이, 이렇게까지 실력을 연마하다니━. 그만큼 유감스럽습니다. 여러분을 죽여야만 한다는 게."

반격의 발차기를, 왼팔로 확실하게 가드해냈다.

아니, 그것은 단순한 가드가 아니었다.

방어한 것이 아니라 빼앗은 것이다.

피르히가 지닌 《티폰》의 신장을—.

"—《무정한 과실》."

룩스가 헛숨을 들이마신 순간 《아지 다하카》의 장갑에서 칠흑의 파동이 해방됐다.

자기 것이 아닌 신장을 무효화하는 동시에, 주위에 있는 기룡의 출력을 저하시키는 대단히 강력한 무효화 신장이다.

두 사람 다 신장을 빼앗겼기 때문에 무효화에는 영향 받지 않았다. 그러나 《천 가지 마술》에 에너지를 흡수당하는 와중에 그 공격을 받은 탓에 기룡의 움직임이 거의 완전히 봉쇄되었다.

제아무리 세리스와 피르히가 손꼽히는 전투력을 자랑하더라도, 기룡 자체가 반응하지 않으면 무력하다.

그래서 미스시스는 지금 완전한 기룡 킬러의 능력을 동원해서 두 사람을 완벽하게 봉쇄하고 있었다.

"그럼, 살펴 가시길."

시녀다운 몸짓으로 인사한 직후, 그 장갑팔로 들고 있던 할버드를 휘둘렀다.

동력원인 환창기핵이 위치한 어깻죽지에 한 치의 오차도 없이 정확하게 꽂혔다.

"크, 아앗……?!"

"루……우…….."

그 공격에 두 사람의 신장기룡이 정지하며 장갑이 해제되었다.

힘이 바닥난 세리스와 피르히는 휘청거리며 플랜트의 차가운 바닥 위에 쓰러졌다.

『칠용기성』과도 견줄 수 있는 두 강자가 순식간에 쓰러졌다.

"이게, 『창조주』들이 가진 최대 전력……!"

그 광경을 직접 목격하게 된 룩스는 경악해서 말문이 꽉 막혔다.

《아지 다하카》를 장착한 미스시스의 전투력은 요루카— 아니, 전력을 다하는 싱글렌과 동등할지도 모른다.

'그것보다도, 위험해…….'

지금 룩스는 『창조주』들을 돕는 것처럼 속이고 있는 처지인 탓에 세리스와 피르히를 도와줄 수는 없었다.

그러나 지금 여기서 미스시스에게 덤비지 않으면 세리스와 피르히는 목숨을 잃게 된다.

그것만은 어떻게든 막아야만 했다.

에이릴과 나눈 밀약이 거품처럼 사라지고, 『쐐기』가 방출한 전기 충격에 목숨을 잃는다 해도.

결국 구하는 데 실패한다 해도— 이대로 못 본 척 하는 것만큼은 절대로 불가능했다.

룩스는 순식간에 각오를 다지고 《바하무트》의 기공각검을 세게 움켜쥐었다.

에이릴이 다시 저지한다 해도 억지로 뿌리칠 작정이었지만—.

"잠깐만! 미스시스!"

룩스가 움직이기 직전에 에이릴이 소리쳤다.

주군의 지시에 미스시스는 휘두르려던 팔을 멈추고 감정이 느껴지지 않는 딱딱한 얼굴로 돌아보았다.

"에이릴 황녀 전하, 왜 그러시는지요? 이들은 주인님 앞을 가로막는 최후의 위협입니다. 인질도 충분하므로, 여기서 처리하는 게 옳다고 판단합니다만ー."

『응, 그렇고말고. 종자로 인정할 수 있는 건 룩스까지야. 아무리 네가 남들에게 관대하다 해도, 저들까진 인정할 수 없어.』

미스시스가 플랜트 천장을 올려다보자 리스테르카의 목소리가 즉시 내려왔다.

역시 『대성역』의 시스템과 링크해서 계속 감시하고 있는 모양이었다.

아마도 에이릴이 이런 반응을 보일 거라는 점까지 고려해서 리스테르카는 미스시스를 보냈을 것이다.

에이릴이 자신의 사명을 포기하고 룩스 일행 측에 붙으리라는 생각까지는 하지 않을 터이나, 그렇다고 룩스의 동료들에게 온정을 베풀라는 법도 없다.

리스테르카는 에이릴이 『창조주』로서 어떻게 움직일지, 이 상황을 연출해서 진의를 확인하려 하고 있었다.

그러나 에이릴은 조용히 고개를 저으며 리스테르카의 말을 부정했다.

"물론, 그건 저도 잘 알아요. 하지만 제가 하려는 말은 다른 거예요. 리스테르카 언니라면, 이미 깨달으셨겠죠?"

『……? 설마, 이 반응은―.』

리스테르카가 중얼거린 순간, 환신수 플랜트 전체가 격렬하게 흔들렸다.

룩스가 헙, 하고 숨을 삼켰을 때, 중앙 바닥이 무너지며 화염이 솟아올랐다.

거기에서 튀어나온 몇 개의 불화살이 에이릴의 옆구리를 스쳐서 피가 터져 나왔다.

"……크윽?!"

"에이릴?!"

룩스는 반사적으로 소리치며 새롭게 나타난 적을 노려보았다.

청초한 드레스로 몸을 감싼 자그마한 소녀― 아니, 바닥을 가늠할 수 없는 흉조를 품은 칠흑의 기척.

『대성역』이 작동하는 한, 몇 번이든 되살아나는 최후의 라그나뢰크. 『성식』이 지금 이 자리에 출현했다.

이것만큼은 『창조주』건 아니건 간에 현 단계에서는 제어할 수 없었다.

리스테르카가 고성에 거의 내려오지 않고, 공중 궁전―『천궁』에 있는 이유 중 하나가 이것이리라.

'하지만, 이 상황은 더 위험해!'

미스시스의 관심이 그쪽으로 넘어간 것은 좋다. 하지만 『성식』은 무차별적으로 이쪽을 공격할 것이고, 쓰러진 세리스와 피르히를 남겨둔 채 이 자리에서 떠날 수도 없다.

"미스시스! 우리가 도망칠 때까지 시간을 벌어줘! 우리는 이

대로 고성으로 돌아가는 포털을 찾을 테니까!"

"······알겠습니다."

에이릴이 명령하자 미스시스는 할버드를 들고 『성식』과 대치했다.

한편, 룩스가 세리스와 피르히를 구출하려는 낌새를 보이자 에이릴이 옆에서 제지했다.

"룩스 군, 손 내밀면 안 돼!"

영락없이 두 사람을 버리고 가라는 의미인 줄 알았더니, 그 직후에 플랜트 문에서 공기를 가르는 소리가 났다.

나타난 인물은 두 기룡사. 리즈샤르테와 크루루시퍼다.

"리샤 님?! 크루루시퍼 씨?!"

《티아마트》와 《파프니르》를 장착한 두 사람을 본 순간 룩스는 자기도 모르게 소리치고 말았다.

"이게 무슨 상황이냐?!"

혼돈의 도가니로 변한 플랜트 내부를 보고 방에 들어온 리샤는 인상을 찌푸렸다.

반면에 크루루시퍼는 냉정하게 상황을 훑어보았다.

룩스의 목에 채워진 목걸이, 『쐐기』. 에이릴 옆에 붙어 있는 룩스. 세리스와 피르히가 남긴 전투의 흔적.

그리고 과거에 상대해본 경험이 있는 신장기룡 《아지 다하카》를 장착한 미스시스의 모습.

게다가 그녀와 대치 중인 인간형 라그나뢰크, 『성식』의 모습까지도—.

"아무래도 한마디로는 정리할 수 없는 상황 같네. 하지만 예상되는 건 몇 가지 있어."

"뭐든 좋다! 빨리 두 사람을 구출하고 룩스를 되찾아야—."

"진정하고 들어봐. 아마도 지금은 룩스 군을 구할 수 없을 거야. 우리가 해야 할 최선의 행동은, 세리스 선배와 피르히를 데리고 여기서 도망치는 것. 이 표층부를 빠져나가 고성에서 탈출하는 거야."

"헛소리 집어치워! 이 기회를 놓치면 룩스는…… 헛?!"

감정에 휘둘려서 소리치던 리샤는 크루루시퍼의 진지한 눈길을 느끼고 입을 다물었다.

그녀 역시 누구보다도 룩스를 구하고 싶을 것이다.

그러나 언제나 냉정하고 침착한 그녀가 이마에 식은땀을 흘리며 입술을 질끈 깨물고 있었다. 그 절박한 모습을 보고 깨달은 것이다.

이 상황이 상상 이상으로 위험하다는 사실을.

실수는 물론이거니와 대처가 어설프기만 해도 궁지에 몰리게 될 『최악』의 상황이라는 사실을.

"……알았다. 머리에 피가 좀 쏠렸나 보군. 룩스는, 조금만 더 기다리게 하자고."

"그래, 조금만 미루자. 나중에 반드시 되찾을 거니까."

짧게 대화한 후 두 사람은 탄환같은 속도로 기룡을 움직였다.

크루루시퍼가 세리스를, 리샤가 피르히를 안고 그대로 전속력으로 도주했다.

"그녀들은 신경 쓰지 마! 우리는 우리의 목적을 완수해야 해!"

고개를 끄덕인 룩스는 에이릴의 지시를 따랐다.

'리샤 님, 크루루시퍼 씨……. 피르히, 세리스 선배—.'

자신을 구출하기 위해 목숨을 걸고 와준 소녀들에 대한 만감을 꾹 눌러 삼키고 지금은 헤어지기로 했다.

소름 끼치는 『성식』의 포효와 그것에 맞서는 미스시스의 《아지 다하카》.

그 어마어마한 전투가 자아내는 소음의 잔향을 등지고, 룩스와 에이릴은 표층부 안쪽으로 더 들어갔다.

그리운 친구들의 기척에 미련이 남았지만, 그래도 현실과 마주보기 위해서.

Episode 4 　　　　종언으로 이르는 계획

　쿠궁…… 쿠궁……. 기묘한 진동음이 간헐적으로 울려 퍼진다.

　고성에서 아득히 떨어져 있는 상공.

　『천궁』이라고 불리는 공중 궁전의 조종실에서 『창조주』 제1
황녀 리스테르카는 의자에 앉아 눈을 감고 있었다.

　머리에 쓰고 있는 관은 무수한 코드와 연결되어 『대성역』과
의식을 링크하기 위한 시스템을 형성하고 있었다.

　"……후우. 그녀들의 숨통을 끊진 못했군요."

　리스테르카는 탄식을 흘리며 전용 의자에서 내려왔다.

　그녀의 표정에는 드물게도 명백한 낙담의 빛이 떠올라 있었다.

　세례를 받아 『대성역』의 기구와 연결되는 능력을 얻긴 했지
만, 접속하고 시스템에 개입할 수 있는 시간은 그리 길지 않다.

　장갑기룡을 착용하는 것보다도 훨씬 부담이 큰 탓이다.

　따라서 적대자들을 노린 공격도, 에이릴의 감시도 언제든지
쉽게 할 수 있는 것은 아니었다.

　그러니만큼 최대의 조커— 미스시스까지 꺼내들었는데도
리샤 일행을 처리하지 못한 것은 뼈아팠다.

　"악운이 강한가봅니다."

"네, 역시 지금까지 유적을 공략해온 실력은 어디 안 가는군요."

옆에 물러나 있던 후길의 말에 리스테르카는 수긍했다.

"『성식』을 쓰러뜨리면 일단 미스시스를 귀환시켜야겠어요. 후길, 당신의 실력은 믿고 있지만 한 번 잦아든 다음에는 큰일이 쭉 이어질 테니까 호위는 최대한 늘려두고 싶어요."

"알겠습니다. 나의 주인이시여."

"정말, 여전히 딱딱하게 구는군요. 그러지 말고 편히 불러도 괜찮은데 말이죠."

장난스럽게 몸짓하며 리스테르카는 토라진 시늉을 했다.

제삼자가 옆에서 본다면 그 모습에서 단순한 주종관계를 넘어선 감정도 느낄 수 있을 것이다.

리스테르카는 아직 에이릴이 자신을 배신할지 어떨지 확신하지 못하고 있었다.

하지만— 동시에 에이릴 또한 언니의 무서운 모략을 알지 못했다.

룩스와 에이릴이 『대성역』의 공략을 명령받은 진정한 이유.

지옥의 문을 여는 역할을, 두 사람이 짊어지게 되었다는 사실을.

"그리고 『용비적』 잔당들이 전령을 보냈습니다. 각국 대표자들이 움직이기 시작했고, 조만간 이곳에 도착할 것이라는군요."

"그건 아주 좋은 소식이네요. 섀도의 제2진이 효과가 있었나 봐요."

리스테르카가 각국에 보낸 선전포고.

그것은 『대성역』 공략에 의식이 집중되는 것을 막기 위한 양동이라고 여겨져서 지금까지 무시당해왔다. 하지만 그녀가 선보인 두 번째 책략이 그것을 간과할 수 없게 만들었다.

처음에는 리스테르카로 변신해서 지속적으로 현 지배자들의 실태를 설명하는 게 다였던 섀도의 행동은 그 후에 연극형으로 변화했다.

신왕국에서 있었던 일을 얘기하자면, 페도로 가지 않는 라피 여왕을 규탄하는 백성으로 변신한 섀도와, 그것을 진압한다는 명목으로 살상하는 병사로 변신한 섀도가 서로 살육을 벌이는 모습을 보여주었다.

그런 광경을 밤낮을 가리지 않고 보여준 탓에 각국 국민들은 오해를 품게 되었고, 동요하여 공황을 일으켰다.

당연하지만 리스테르카의 계략은 처음부터 두 단계였던 것이다.

따라서 연합도 결국 가만히 있을 수 없게 되었고, 하는 수 없이 교섭에 나서기로 했다.

호위용으로 남겨둔 모든 전력을 투입하여 『창조주』를 신속하게 압살하기 위해서.

그러나— 라피 여왕을 비롯한 각국의 지배자들은 알지 못했다.

그것이야말로 리스테르카가 마련한 최악의 함정이라는 사실을.

『대성역』표층부의 가장 안쪽에 잠든 금기의 상자에는 이미 손을 뻗어두었다.

세계를 지배하기 위한 준비는 차근차근 진행되고 있었다.

†

한편 그 무렵— 고성 부지 내의 예배당.

『쐐기』라는 목걸이를 찬 룩스 이외의 『칠용기성』은 여섯 명 전부 그곳에 연금되어 있었다.

에이릴이 관리해준 덕분에 처우가 다소 개선되긴 했어도 썩 좋은 환경이라고 하긴 어려웠다.

같은 부대 소속이지만 평소에는 타국 국민이기 때문에 생각보다 교류가 많지 않았던 그들은 한가함을 주체하지 못하고 잡담에 열을 올리고 있었다.

"그런데, 생각하면 생각할수록 이상하지 않아? 지금까지 우리를 살려둘 이유가 있을까? 인질로 잡아두기 보다는 얼른 처리하는 게 낫지 않나?"

살벌한 소리를 태연히 하는 메르를 보며 그라이퍼는 어이없다는 투로 내뱉었다.

"꼬맹이 주제에 늙은이 같은 소릴 하는 건 여전하구만. 사로잡힌 판국에 그런 말이 나와?"

"나이 몇 살 많다고 애 취급 하지 말아줄래? 난 정식 절차를 거쳐 유미르 교국 대표 자리에 앉은 몸이야. 당신이야말로 평소에는 의욕 없이 대충 사는 주제에."

"싸움은 좋지 않아. 그렇게 생긴 틈을 적이 파고드니까."

"네가 할 소리냐!"

"당신이 할 말은 아니지!"

소피스가 진지하게 충고하자 그라이퍼와 메르가 동시에 받아쳤다.

그리고 그 옆에서는 붉은 머리카락의 로자가 고개를 내두르며 탄식했다.

"다들 헛소리에 열을 올릴 여유는 생겼나 봐—? 하지만 확실히 이상하긴 하네—. 일단 인질로서 가치가 있는 건 사실이지만, 그렇다고 살려두기에는 위험부담이 클 텐데 말야."

로자가 당찬 눈빛을 보이며 중얼거리자 안쪽에 앉아 있던 마기알카가 씨익 미소 지었다.

"어쩔 수 없구먼. 대장인 내가 알려주지."

작은 몸으로 기지개를 쭉 켜고 팔다리에 족쇄를 찬 채 가볍게 스트레치를 하며 말했다.

"하나는 남아 있는 세계 연합에 대한 비장의 카드로 쓰기 위해서라네. 지금 폐도 게르니카의 원정군 지휘를 맡고 있는 건 아마도 내 보좌관인 롤로트, 그리고 싱글렌의 보좌관인 츠바이베르크일 걸세. 뭐, 썩 대단한 위협은 아니라고 생각하기 때문에 적극적으로 협박하지 않는 것일 테지만, 여차할 때 두 사람에게 인질로 내세울 수 있지. 일단 그런 용도로 살려둘 가치는 있다네."

"마치, 우리 같은 떨거지들에겐 가치가 없다는 말처럼 들리는데."

"슬픈 사실이지만, 실로 그렇지."

그라이퍼가 농담조로 대꾸하자 마기알카는 익살스럽게 대답했다.

"아무리 그대들이 각국의 비장의 수단이라 불리는 기룡사라지만 왕들의 목숨과 교환할 수는 없지 않겠는가?"

"야박한 이야기네. 당연하다고 생각하지만."

고개를 저으며 한숨 쉬는 메르 옆에서 로자가 마기알카 쪽을 힐끔 보았다.

"그래서, 진짜 이유가 뭔데 그래—? 너무 뜸 들이지 말고 얘기해줬으면 좋겠는데?"

"그대는 그 모드에 들어가면 철면피로 변하는구먼. 뭐, 좋아. 간단한 이야기라네. 놈들은 전력이 부족하지. 가능하다면 우리 전원을, 그대로 휘하에 끌어들이고 싶을 걸세."

"——."

마기알카의 대답을 들은 일동의 얼굴에 곤혹의 빛이 떠올랐다.

"시간을 들여서 설득이라도 하겠다는 건가? 각자의 조국을 멸망시킨 뒤에."

"그럴 가능성도 전무하다고 할 순 없겠지. 허나 내 예상은 다르다네."

마기알카는 흉계를 꾸미는 것처럼 음습하게 웃으며 자신의 생각을 말했다.

"이건 단순한 억측이네만, 아마도 『대성역』의 최심부— 중추까지 도착하면 우리를 완벽하게 세뇌할 수 있을지도 몰라."

"……뭣?!"

다시 숨을 삼키며 안색을 바꾸는 일동.

싱글렌만은 한마디도 하지 않고 그저 미소를 유지하고 있었다.

"잠깐만! 세뇌라니, 그렇게 간단할 리—."

"간단할 리가 없다고? 그 에이릴인가 하는 제2 황녀의 능력에 완벽하게 인식을 조작당하고 속아 넘어가 포로가 된 우리가 할 말인가?"

"……."

반론하려는 메르의 말을 자르며 마기알카는 자조하듯이 말했다.

그 옆에서 소피스가 무표정을 유지한 채 수긍했다.

"그럴 가능성이 높을지도 몰라. 『창조주』들은 분명, 우리를 신용할 생각이 없어."

"허나, 그렇다면 우리에게도 선택지가 있지 않겠는가?"

무언가 꿍꿍이가 있는 듯한 말투로 마기알카가 첨언하자 로자는 미심쩍은 표정으로 고개를 갸웃했다.

"무슨 소리야—?"

"우리가 사이좋게 자해하면 된다고 말하고 싶은 거겠지. 이 미치광이는."

"—뭐라고?!"

지금까지 침묵을 고수하던 싱글렌의 폭탄발언에 마기알카를 제외한 멤버들이 인상을 팍 썼다.

"이게 놀랄 만한 이야기인가? 당연한 생각이다. 여기에 있는들 언젠가는 이용당하는 도구로 바뀌게 될 것이다. 그렇다면 스스로 목숨을 끊고 인질로서의 존재가치를 없애는 게 낫지 않을까. 합리적인 판단이지."

『쐐기』는 억제로 풀려고 하면 전기 충격을 방출한다. 그것을 스스로 세 번 반복하면 자동적으로 치사량까지 위력이 올라가므로 자해는 쉽다.

"호호오. 그렇다면 네 녀석이 가장 먼저 하는 게 어떻겠는가. 자아, 해 보시게! 부대장으로서 모범을 보일 순간이지 않나!"

마기알카가 전력으로 그 생각을 지지했지만 싱글렌은 코웃음 쳤다.

"아쉽지만 네놈의 요청에 따라줄 순 없다. 결국 그건 적에게 살해당하는 것과 똑같으니까. 그렇다면 희망이 있는 쪽에 거는 것이 인간이 아니겠나?"

태연하게 제안하는 싱글렌을 그라이퍼가 매서운 눈초리로 노려보았다.

"댁이 희망 같은 소릴 하니까 무진장 수상쩍은데……."

그 대화를 들은 메르가 결론을 내렸다.

"요약하자면 오빠 하기 나름이라는 거네. 이 상황을 돌파할 수 있을지 말지는—"

결국 에이릴의 눈에 들어서 유일하게 반쪽 자유를 손에 넣은 룩스에게 걸 수밖에 없었다.

그를 믿고, 지금은 그저 앉아서 기다릴 수밖에 없었다.

"결국 자해할 놈은 한 명도 없나 보구만."

전원의 반응을 본 그라이퍼가 쓴웃음 섞인 목소리로 중얼거렸다.

즉 이 자리에 있는 모두가 룩스에게 기대를 걸고 있었다.

『칠용기성』의 중심인물로서, 이 상황을 뒤집고 세계를 구해줄 것을.

†

한편 그 무렵— 폐도 게르니카 고성 지하.

"허억, 허억······!"

세리스와 피르히가 미스시스에게 패배하고, 『성식』이 나타나고, 뒤쫓아 온 리샤와 크루루시퍼와 헤어진 몇 분 후.

표층부의 환신수 플랜트를 뒤로 한 룩스와 에이릴은 고성으로 돌아가는 포털을 찾기 위해 여전히 탐색 중이었다.

그러나 환신수가 우글거리는 통로에서 휴식을 취할 수는 없는 까닭에, 계속해서 마주치는 환신수와 싸우면서 미로 같은 지하를 방황하고 있었다.

『대성역』 내부는 보면 볼수록 불가사의한 구조였다.

언뜻 보기에는 고대의 지하통로 같은 분위기인데, 부서진

벽 너머로 연하게 빛나는 은색 벽면이 보였다.

그리고 도중에 지나친 몇몇 작은 방이나 홀에는 지금까지 봐온 유적에 존재했던 각양각색의 지형을 본뜬 공간이 펼쳐져 있었다.

숲과 강, 혹은 사막.

이런 처지와 상황이 아니라면 무심코 발걸음을 멈추고 구경하고 싶어질 정도였다.

"에이릴, 상처는 괜찮아? 일단 어디서 잠시 쉬면서 응급처치라도 하는 게……."

"……응, 이 정도는 괜찮아. 그보다, 모처럼 감시하는 눈이 사라졌어. 이틈에 조금이라도 더 들어가자."

에이릴은 숨을 헐떡이면서도 당차게 대답하며 《자하크》를 착용한 채 걸음을 재촉했다.

하지만 도중에 결국 한쪽 무릎을 꿇더니 장갑이 해제되었다.

"흑……?!"

"무리하지 마! 잠깐 쉬자, 요 근처에 아무 방에라도 들어가서—."

"미안, 해……."

가쁜 숨을 몰아쉬며 에이릴이 사과하자 룩스는 그녀를 안고 작은 방을 찾아서 들어가려고 했다.

하지만 에이릴은 고개를 저으며 만류했다.

"알려지길, 바라지 않아……. 아마도 지금은 더 안 듣고 있을 가능성이 크지만…… 너랑 하는 이야기를, 언니가 들으면 위험하니까."

"알았어. 조금만 기다려!"

에이릴을 통로에 눕히고 가까운 방— 계곡을 본뜬 지형이 펼쳐진 장소에서 물을 떠왔다.

"윽, 으으……."

룩스가 서둘러서 회랑으로 돌아오니 에이릴은 뜨거운 숨결을 토해내며 눈을 감고 있었다.

극한의 피로 때문에 긴장의 실이 끊어져서 기절해버린 것일까?

룩스는 다친 옆구리를 치료하려고 그녀의 장의에 손을 댔다.

정신을 잃은 소녀의 옷을 벗기는 것에 저항감을 느꼈지만, 상황이 상황이니만큼 하는 수 없었다.

"미안, 에이릴."

한 벌로 되어 있는 장의의 상반신만을 내리고 수건을 깐 바닥 위에 똑바로 눕혔다.

어두운 곳에서도 눈부시게 빛나는 나신에 룩스의 눈은 못 박혔다.

반하임 공국에서 같은 방을 썼을 때도 본의 아니게 등을 본 적이 있는데, 그때보다 더욱 요염한 느낌이 들었다.

그것은 자신의 존재를 위장하던 그녀의 마법이 풀린 탓일까?

아니면 에이릴이라는 인물을 룩스가 신경 쓰기 시작한 탓일까?

"으, 룩스…… 군."

눈을 감고 있는 에이릴이 애달프게 헐떡이며 오른손을 덧없이 휘저었다.

"괜찮을 거야, 에이릴."

룩스가 자연스럽게 그 손을 잡아주자 소녀는 호흡이 차분하게 가라앉으며 잠들었다.

†

꿈이 아닌, 회상

기억 그 자체조차 연하게 희석된 수백 년 이상 지난 과거를 현실 속에서 되새겨본다.

제2 황녀 에이릴 뷔 아카디아는 처음부터 황녀로서 그 자리에 있었다.

첫 번째 기억은 그것뿐이다.

이 세계의 정통한 지배자로서 확립된 신성 아카디아 황국.

천상의 인간— 아니, 신의 영역에 몸을 둔 존재로서 후한 대접을 받았다.

국가의 주인인 부모, 친족, 그리고 교육 담당 및 종자들에게도 그것이 당연하다는 것처럼 대우받았다.

의문을 품게 된 것은 일곱 살 무렵.

책에서 읽은 『친구』에 흥미를 갖게 되었을 때다.

옛날에는 말괄량이였던 에이릴은 몰래 성을 빠져나가 외출했을 때, 성 주위에서 한 소년과 만났다.

자신과 같은 은발과 회색 눈동자를 가진 소년.

자신의 부모가 성 근처에서 일하기 때문에 보러왔다고 했다.

"뭐야, 너 여자였냐? 남자인 줄 알았는데."

"으으, 예의를 모르는구나."

당시부터 중성적인 분위기를 풍기던 에이릴은 신분을 숨기고 그 소년과 몇 번 대화를 나누었다.

그때마다 사이가 깊어진 두 사람은 함께 놀고, 함께 시간을 보냈다.

그러나 소년은 왕후귀족이 아닌 하층민.

『창조주』— 아카디아 일족은 『열쇠 관리자』와 손을 잡아 확실한 기술과 함께 세계를 독점했고, 지배하였다.

그러나 그런 와중에 내부에서마저 격차가 생겨나 차츰 커지고 있었다.

어떤 연구자가 만들어낸 엘릭시르라는 비약.

그리고 그것을 육체에 사용해서 강화하는 『세례』.

그 힘은 너무나도 뛰어났지만, 동시에 그것이 현재의 인종을 반으로 나누었다.

엘릭시르는 생산량이 적지만, 『세례』를 통해 몸에 익숙해지게 하면 강력한 힘을 얻을 수 있다.

더욱 뛰어난 존재를 인위적으로 만들어낼 수 있다.

태어날 때부터 지니고 있던 자산만이 아니라, 재능마저 독점할 수 있게 된다.

그 은혜를 누릴 수 있는 혈족은 상류층— 그 이외에는 하층민. 『창조주』는 인간을 두 분류로 나누었다.

오랜 세월이 흐르고, 더욱 거만해진 상류층은 더욱 많은 엘릭시르를 모으기 위해 구조를 바꾸었다.

그것이 바로 붕괴의 원인.

세계를 지배했던 신성 아카디아 황국 내부에 『배신자 일족』이라는 존재가 나타난 순간이다.

그리고— 에이릴의 운명 또한 거기서부터 움직이기 시작했다.

혁명이 일어난 것은, 그로부터 8년 뒤의 일이다.

†

"으윽……!"

에이릴은 통증을 느끼며 눈을 떴다.

보아하니 어느새 안전지대에서 다른 곳으로 옮겨졌는지 간이침대에 누워 있었다.

옆에는 룩스가 의자에 앉아 있었다.

에이릴은 옆구리의 상처에 붕대를 감고 엎드려 있는 상태였다.

"아, 일어났구나. 출혈은 멈춘 것 같지만 당분간 안 움직이는 게 좋을 거야. 화상도 입었고……."

"응……."

룩스가 말하자 에이릴은 힘없이 고개를 끄덕였다.

"가위 눌린 것 같던데, 상처가 아파서 그래?"

"옛날에 입은 상처가, 조금. 벌써 8년이나— 아니, 수백 년이나 지난 일이지만……."

그러나 에이릴의 몸에는 달리 눈에 띄는 흉터는 없었다.

어쩌면 그것은 그녀 자신의 마음에 남은 해묵은 상처인 게 아닐까? 룩스는 그런 생각이 들었다.

"무슨 일이, 있었어?"

"……"

룩스가 질문하자 에이릴은 잠시 머뭇거렸지만, 이윽고 불쑥 입을 열었다.

"있잖아. 룩스 군은 어째서, 날 치료해준 거야?"

"응……?"

느닷없는 질문을 받고 룩스는 당황해서 되물었다.

"네 『쐐기』는, 나를 돕지 않는 정도로는 전기 충격을 가하지 않아. 내버려둬도 괜찮았을 거야. 아니, 그보다도 네 동료를 위험에 빠뜨린 나를, 어째서……."

그렇게, 어쩐지 울적해 보이는 표정으로 에이릴이 물었다.

"내가 죽으면, 움직이지 못하게 되면 곤란하니까? 아니면—."

"그게, 나도 잘 모르겠어."

룩스는 난처하게 웃으며 에이릴을 바라보았다.

에이릴은 눈을 동그랗게 떴다.

"하지만 아마도, 에이릴이 우릴 도와준 게 아닐까 하는 생각이 들었거든. 조금 전부터 『성식』이 우리랑 가까운 곳에 있다는 건 예측하고 있었어. 그래서 《자하크》의 채찍을 바닥에 끌어서 『성식』을 찾고, 불러들인 게 아닌가 싶었어. 그 상황을 바꾸기 위해서."

그렇게 생각하면 에이릴이 가장 먼저 『성식』에게 공격당한 이유도 설명할 수 있다.

게다가 그 덕분에 미스시스에게 도움을 부탁할 이유도 자연스러워졌다.

"……."

룩스가 지적하자 에이릴은 입을 다물었다.

즉, 그 말이 맞다는 것이리라.

그녀는 적대 관계인데도 세리스와 피르히를 구하려고 해주었다.

리스테르카나 미스시스가 알아차리지 못하도록 세심하게 주의를 기울이고, 위험을 무릅쓰면서까지 구해준 것이다.

"그건, 룩스 군의 망상이잖아? 실제로 본 것도 아니고, 아무 확증도 없지. 아냐?"

"그렇긴 해."

에이릴의 반응은 왠지 모르게 불만스러워 보였지만 룩스는 장난스럽게 대답했다.

"하지만, 그거면 됐어. 나는— 그렇게 믿으니까."

"룩스 군은……."

그런 룩스를 보며 에이릴이 가라앉은 목소리로 불쑥 물었다.

"룩스 군은 어쩜 사람이 그래? 어떻게 그렇게 남을 믿을 수 있어?"

"에이릴?"

"나는, 나는 할 수 없었어. 누군가를 믿는 것도, 내 자리를 버리는 것조차도. 황족은, 원래 그런 거 아니야?"

"……."

망설임이 느껴지는 에이릴의 하소연에 룩스는 입을 다물었다.

"어째서, 룩스 군은 구제국을 무너뜨릴 수 있었던 거야? 만약 혁명이 성공했다 해도 모두가 룩스 군을 칭송하는 건 아니야. 아니, 칭송은커녕 원한을 품은 백성들의 손에 목숨을 잃게 될지도 모르는데—."

"그런 나를, 도와주는 사람들과 만난 덕분이야."

에이릴의 질문에 룩스가 두말없이 대답했다.

어린 시절. 룩스의 외조부가 황제에게 간언하고, 그 일로 미움을 사 궁정에서 추방당했을 때.

마차 사고로 중상을 입은 어머니가 백성들에게 버림받아 룩스가 전 세계를 저주했을 때 피르히가 만나러 와주었다.

자신의 편이 되어준 덕분에 다시 일어나게 된 룩스는 아이리와 피르히가 안심하고 살 수 있는 나라로 만드는 것을 목적으로 삼았고, 모든 수단을 동원해서 나라를 바꾸려고 했다.

"그래서 나도 황족으로서 무엇을 할 수 있을지 생각했어. 어렸을 때 나는, 아버지가…… 황제가 말하는 대로 따를 뿐인 꼭두각시였어. 하지만 그런 삶을 참을 수 없게 됐지. 내 의지로 움직이지 않으면 아무 것도 바꿀 수 없고, 원하는 것도 얻을 수 없다. 그렇게 생각했으니까—."

"그런가. 역시 룩스 군은, 강하구나."

룩스의 말을 들은 에이릴의 얼굴에 밝은 미소가 되돌아왔다.

"그렇지 않아. 다른 사람들 덕분인걸."

"아니. 바로 그 점을 말하는 거야."

"어……?"

"그렇게 여러 사람들과 친구가 됐다는 점이, 대단하다는 거야."

에이릴이 그렇게 대답한 후, 룩스는 잠시 생각하다가 미소를 돌려주었다.

"그렇다면 좋겠네. 에이릴과도 친구가 되었으니까."

"……."

룩스의 입에서 나온 말을 듣고 에이릴은 자기도 모르게 멍한 표정을 지었다.

아련히 달아오른 뺨을 보여주지 않으려고, 반사적으로 손으로 얼굴을 가리며 고개를 돌렸다.

"정말, 뭘 생각하는 거야 대체. 이런 기습이나 하고……."

"……? 에이릴, 갑자기 왜 그래?"

"아, 아무 것도 아냐! 그보다, 슬슬 움직이자. 아직 목적을 달성하지 못했잖아."

"응. 아, 그런데 뭐냐, 그 전에, 장의를 제대로 입어야……."

"우, 와아아앗?! 이쪽 보지 마! 룩스 군, 변태!"

벌떡 일어난 탓에 에이릴의 헐벗은 상반신이 그대로 드러났고, 룩스는 반사적으로 고개를 돌렸다.

엄밀히 말하자면 이미 실컷 본 뒤였지만 굳이 말하지 않기로 했다.

†

"—있잖아. 반대로 묻겠는데, 에이릴은 왜 우리를 도와주려
고 한 거야?"

탐색을 재개하고서 몇 분 후. 룩스는 《와이번》을, 에이릴은
《엑스 와이번》을 장착하고 비행하면서 표층부의 미궁 지하를
탐색했다.

한참 그러는 와중에 룩스가 질문하자 에이릴은 말을 돌리
려는 것처럼 대답했다.

"뭐야? 은근슬쩍 넘어가려고? 아까 내 알몸을 실컷 구경한
거 말야."

"구경한 적 없다니까?! 치료하려고 벗겼을 뿐이라고!"

얼굴을 살짝 붉힌 채 도끼눈으로 핀잔을 주는 에이릴을 보
며 룩스는 당황했다.

두루뭉술 넘어갔기 때문에 언급하고 싶지 않는가 보다고 생
각했는데, 잠시 시간을 두고서 에이릴은 대답했다.

"널 속이기 위한 꾀일지도 모르니까, 그런 걸 물어봐도 소용
없지 않을까?"

"그래도 상관없으니까, 대답해줘."

"하아……."

룩스가 끈덕지게 부탁하자 에이릴은 대답해주었다.

"너랑 같은 이유야. 내 죄를 깨달았거든. 계속 외면해왔던
우리의 죄를……. 애초에 너희『배신자 일족』이 우리에게 반란

한 것도, 어느 정도 당연한 점이 있어."

"……."

"그래도, 한때는 어쩔 수 없다고 생각했어. 사람은 정도의 차이는 있더라도, 다들 무언가를 희생하며 살아가는 법이니까. 하지만…… 같은 사람이라는 동료조차 속이고 빼앗는 것은 그저 악당일 뿐이고, 그것이 당연하다고 생각하는 것은 오만이지."

침통한 표정으로 얘기하던 에이릴은 조용히 미소 지었다.

"그 죄에 대해서는 알려줄 수 없어, 룩스 군. 그걸 알게 되면, 너는 분명 나를 경멸할 테니까. 내가 아는 과거의 사실과 이 운명을—."

각오를 감춘 소녀의 옆얼굴을 보고 룩스가 자기도 모르게 말을 잃었을 때.

"—여기인가? 여기가 아마도, 언니가 알려준 장소 같은데."

룩스와 에이릴의 눈앞에 거대한 문이 나타났다.

이것이 『대성역』 표층부에서 가장 깊은 곳이자, 심층부로 진입하는 문을 열기 위한 제어실.

여기서 『창조주』의 피— 지금은 에이릴의 피를 바치면 다음 장소로 넘어갈 수 있는 길이 열리는 것이다.

"하지만, 뭐지? 이 소름끼치게 무시무시한 분위기는—."

"……."

제어실에 들어간 에이릴의 혼잣말에 룩스도 말없이 고개를 끄덕이며 공감을 표했다.

금속 벽으로 뒤덮인 공간은 조금 전 환신수 플랜트와 흡사했다.

하지만 캡슐은 몇 개 없었으며, 사이즈도 대단히 거대했다.

그리고 무엇보다도 불온한 기척이 감돌고 있었다.

눈앞에는 아무 것도 보이지 않건만, 육체가 경종을 울려대며 그칠 생각을 하지 않았다.

에이릴은 목적을 수행하기 위해서 천천히 걸음을 옮겼다.

먼저 제어실인 큰 방에서 좁고 긴 통로를 지나면 나오는 별실— 그곳에 있는 포털. 이것은 고성으로 가는 직통 루트를 표시하고 있었기 때문에 이쪽을 기동했다.

이로써 일단 고성으로 귀환할 수 있게 됐다.

퇴로를 확보한 후, 다시 제어실 중앙 장치로 다가간 에이릴은 기룡을 장착한 채 손을 올렸다.

그러자 룩스가 유적에서 몇 번 들어본 기계적인 음성이 재생됐다.

『「창조주」의 인증을 확인했습니다. 그 피를 일정량 바치면 시스템이 재작동합니다. 인증과 재작동 「창조주」의 사고조작이 몇 분 간 요구됩니다.』

"좋아. 조작하는 데 시간이 좀 걸릴 것 같지만, 이걸로 심층부로 가는 길이 열릴 거야. 그럼 다음은……."

그때, 에이릴이 갑자기 말꼬리를 흐리더니 완전히 입을 다물어버렸다.

순간 룩스는 리스테르카의 감시 때문에 황급히 입을 다문

줄 알았지만, 그런 게 아니었다.

제2 황녀 에이릴의 아름다운 두 가지 색 눈동자는 다른 광경을 포착하고 있었다.

"『창조주』제2 황녀! 룩스 옆에서 떨어져라!"

"리샤 님?!"

《티아마트》를 장착한 리샤와의 해후는 어떻게 보면 당연한 일이다.

『성식』과 조우한 이후로 뿔뿔이 흩어지긴 했지만 피차 이 주위를 탐색하고 있었을 테니까.

미로처럼 복잡하게 꼬인 넓은 지하통로이긴 해도 맞닥뜨릴 가능성은 충분했다.

"낯선 빛이 보이길래 함정이 아닐지 의심했지만, 공주님의 감도 가끔은 맞을 때가 있네."

"가끔은 무슨! 내가 매번 생각 없이 구는 것처럼 들리잖느냐! 그건 그렇고, 두 사람의 원한도 갚아주마!"

그렇게 말하고서 배후에 서 있는 세리스와 피르히를 힐끗 돌아보았다.

비록 장갑기룡은 소환하지 않았지만, 서서 걸어다닐 수 있는 정도로는 무사해 보였다.

그러나 두 사람이 무사한 모습을 확인한 룩스가 안심한 것도 잠시. 상황이 좋지 않다는 것을 깨달았다.

에이릴의 계획이 순조롭게 진행되고 있는 지금 이 상황에 방해 받는 것은 곤란하다.

최악의 경우, 또다시 리스테르카의 지시로 리샤 일행과 싸워야 할지도 모른다.

'그렇다면 차라리 내가 모두를 설득해서 시간을 벌 수밖에 없어!'

룩스가 각오를 다지고 《와이번》의 블레이드를 세게 쥔 순간 크루루시퍼가 신속하게 앞으로 나왔다.

"내가 하겠어. 네게 어떤 사정이 있다 하더라도."

푸른 장발을 쓸어 올리며, 장갑을 해제하고 있던 크루루시퍼가 《파프니르》의 기공각검을 뽑았다.

그녀는 언제나 쿨하게 걸려 있던 미소를 지우고 각오를 담은 시선으로 룩스를 응시했다.

"이런, 룩스 군! 해제가 끝날 때까지, 시간을 벌어줘."

이미 장치에서 뻗어 나온 관과 바늘을 팔에 찌르고 혈액을 주입하기 시작한 에이릴이 말했다.

여기까지 와 버린 이상, 에이릴의 굳은 결심을 방해하도록 놔둘 수는 없었다.

"미안해요. 리샤 님, 크루루시퍼 씨. 부탁이니까 물러나줄 순 없을까요?"

그리고 룩스도 본인의 각오를 보여주기 위해서 장착 중이던 《와이번》의 장갑을 해제하고 다른 기공각검을 높이 들었다.

"—전생하라. 재화에 사로잡힌 재앙의 거룡. 끝없는 욕망의 대가가 되어라, 《파프니르》."

"—현현하라, 신들의 혈육의 삼키는 폭룡. 흑운으로 뒤덮인 하늘을 가르거라, 《바하무트》.”

두 사람의 눈앞에 빛의 입자가 소용돌이치며 장갑기룡이 소환됐다.

동시에 접속 과정을 거쳐 장갑으로 몸을 덮고서 말없이 무장을 들고 대치했다.

“어이, 크루루시퍼. 혼자서 뭘 그리 의욕적이냐! 내가 활약할 상황까지 빼앗으려고?”

“맞아. 협정을 맺었으니 다른 사람들을 제칠 수는 없지만, 전투에서 어필하는 건 가능하잖아. 여기서 그를 되찾는 동시에 그 마음까지 꿰뚫을 거야.”

“뭣! 웃기지 마라! 나도 같이…….”

어딘가 짓궂게 중얼거리는 크루루시퍼에게 리샤는 발끈해서 덤벼들었다.

그러나 그 표정이 더없이 진지하다는 것을 깨닫고, 뻗으려던 손을 멈추었다.

“아마 에이릴에게도 말 못할 사정이 있는 거겠지. 하지만 우리도 그를 구할 천재일우의 기회를 놓칠 수는 없어. 목걸이를 찬 룩스 군을 쓰러뜨려야만 되찾을 수 있다면, 그렇게 해야겠지. 유일하게 제대로 움직일 수 있는 내가—.”

“…….”

그 말을 듣고, 리샤는 몸을 감싸고 있는 《티아마트》에 폭주 징후가 나타났음을 깨달았다.

지난번 전투. 『용비적』과의 치열한 전투에서 무리하고, 그 뒤에 여기까지 강행군으로 달려온 리샤의 체력은 한계에 가까웠다.

조금 전 미스시스와 교전 중에 에너지를 빼앗긴 세리스와 피르히도 마찬가지다.

유일하게 크루루시퍼만이 이 상황에서 룩스를 상대할 수 있었다.

그렇기에 여기서 사력을 다하겠다고 결정한 것이었다.

"——."

룩스는 대답하지 않고, 약간 쓸쓸한 표정을 지은 채 리샤 일행의 얼굴을 보았다.

동료들— 신뢰를 쌓은 사람들과 이런 식으로 부딪치고 싶지는 않았다.

그러나 에이릴과의 거래를 파기하지 않은 채 그녀들을 설득할 방법은 아마도 없으리라.

이 제어실도 리스테르카에게 감시할 가능성이 있는 이상 사정을 털어놓을 수는 없었다.

용성으로만 통신한다 해도, 리샤 일행이 놀라는 반응 때문에 들킬 수도 있었다.

"그런 비통한 표정은 짓지 않아도 돼. 반드시 널 구해낼 테니까."

마치 학원 모의전의 재래인 것처럼 크루루시퍼는 당당하게 미소 지었다.

"흡……?!"

기룡을 장착 중인 에이릴이 한참 뒤쪽에서 숨을 삼키는 소리가 들렸다.

인증을 거쳐 심층부로 가는 문을 열기 위해서 피를 바치고 있는 에이릴은 몇 분 간 움직일 수 없다.

이제는 도망칠 수 없다.

따라서— 싸워야만 한다.

"갈게, 룩스 군."

"응, 크루루시퍼 씨."

그녀의 마음을 똑바로 받아내기 위해서 룩스도 진지한 눈길로 대답했다.

저격총 《동식투사》를 든 《파프니르》의 날개가 바람을 해방했다.

맞서 있던 룩스도 대검을 들고 호응하는 것처럼 힘을 담았다.

—키잉!

한 줄기 푸른 섬광이 허공을 가르며 일직선으로 룩스를 노렸다.

"……헉?!"

크루루시퍼의 첫 공격은 《프리징 캐논》으로 쏜 동결탄 한 발 뿐이었다.

그러나 그 예비동작을 전혀 간파하지 못했기 때문에 룩스는 살짝 당황했다.

조준은 《바하무트》의 오른쪽 장갑팔, 어깨와 팔의 관절부분.

원래 저격 과정은 자세를 잡고, 표적을 조준하고, 방아쇠를 당기는 세 단계를 거쳐야 하는데, 그 동작이 너무나도 빨랐다.

'아니, 그런 게 아니야. 예전보다 모든 게 빨라졌을 뿐!'

대검을 방패삼아 간신히 저격을 막았다. 하지만 칼날이 얼어붙어서 제대로 움직일 수 없는 상태가 되고 말았다.

단순히 빠르기만 할 뿐이라면 얼마든지 대응할 수 있었을 것이다.

하지만 지금 일격은 기룡의 예비동작마저 거의 없었다.

최단거리, 최소한의 동작. 상대가 공격 조짐을 파악하지 못하도록 조작하는 방법을 셀 수 없을 만큼 연습한 것이 분명하다.

"『완전결합』을 쓰지 않아도 이 정도는 할 수 있어. 조금은 다시 봤을까?"

"난 크루루시퍼 씨를 얕본 적, 한 번도 없는걸."

난처하게 미소 지으며 룩스는 크루루시퍼를 향해 수평으로 날았다.

폭렬적인 속도로 가속하며 상대의 어깨를 노리고 검을 힘껏 휘둘러 올렸다.

노리는 것은 오의 중 하나, 신속제어에서 연결되는 일섬. 《파프니르》의 환창기핵을 어깨 장갑 너머로 강타해서 일격으로 전투불능에 빠뜨리기 위해서다.

"그건 거짓말이네. 내 마음을 알고 있다면, 이 정도로 놀라진 않을 거야."

크루루시퍼는 놀리는 것처럼 키득 웃으면서, 그러나 망설임 없이 《파프니르》를 조종했다.

최대의 특징인 기동성을 활용하여 룩스의 검을 피하고, 장치 앞에 서 있는 에이릴을 조준했다.

"———!"

그것만은 막아야 하는 까닭에 룩스는 신속하게 공격태세에 들어갔다.

그러나 크루루시퍼는 휙 반전하더니 공격을 피하지 않고 저격총을 들었다.

'—아차!'

룩스는 자신이 유인당했음을 뒤늦게 깨달았다.

《용린장순》이 룩스의 대검을 자동으로 방어, 그렇게 생겨난 빈틈을 놓치지 않고 크루루시퍼가 총구를 겨냥했다.

이번에는 통상탄으로 조준 사격을 했지만, 동시에 룩스의 눈앞에 나타난 장벽에 튕겨 나갔다.

눈동냥으로 터득한 싱글렌의 기술. 방어의 장벽 작동 기술 — 전진 유전이다.

크루루시퍼가 당황한 틈을 놓치지 않고 몸을 돌리며 가로 일섬을 시도했다.

그러나 그것도 이미 예상했는지, 저격이 실패한 즉시 전방으로 날아서 가까스로 추격타도 피해냈다.

그 모습을 뒤에서 보고 있던 리샤가 위화감을 느끼고 무심코 중얼거렸다.

"둘 다, 진심인가……? 허나, 어째서 《파프니르》의 신장을 쓰지 않지? 룩스의 몸을 걱정하는 거라면, 더욱 써야 하지 않을까……."

《재화의 예지》^와이즈 블러드 의 미래예지 능력을 사용하면 그럭저럭 유리한 상황을 만들 수 있을 텐데.

그때 리샤보다 뒤에 있던 세리스가 조용히 입을 열었다.

"저는, 어쩐지 알 것 같군요. 그녀의 마음을."

피르히도 그녀에게 호응하는 것처럼 말없이 고개를 끄덕였다.

"아마도…… 분명, 그럴 거야."

"……?"

리샤가 고개를 갸웃한 순간 다시 전황이 움직이고, 숨 쉴 틈도 없는 신속한 공방이 재개되었다.

크루루시퍼가 에이릴 주위를 고속으로 선회하며 통상탄으로 룩스를 저격했다.

룩스를 중심으로 원형 궤도를 그리며 상대가 제대로 조준하지 못하는 상황을 만들고, 자신은 반대로 일방적인 저격을 가했다.

정밀한 사격을 필사적으로 튕겨내면서, 그럼에도 룩스는 에이릴 곁에서 떨어지지 않았다.

어디까지나 그녀를 지킨다는 목적을 위해서만 전력을 쏟아붓고 있었다.

"큭……!"

원래는 이동 간 저격만 해도 난이도가 대단히 높은데, 눈에 비치지도 않는 속도로 움직이는데도 크루루시퍼의 조준은 정확했다.

장벽을 강화해서 튕겨내려고 하면 같은 부위에 연속으로 탄환을 꽂아 넣어 꿰뚫었다.

대검으로 튕기면 장갑팔의 손목을 노려서 방패로 삼은 장애물을 치우려고 했다.

'강해……! 하지만 왜일까? 이렇게 매서운 공격인데도 무섭지 않아.'

룩스가 지금까지 경험해본 것 중에서도 수위를 다투는 전술과 전투 기술.

그럼에도 불구하고 룩스는 공포를 느끼지 못했다.

그 이유가 대체 무엇인지 알지 못한 채 룩스는 대검을 휘둘렀다.

《파프니르》의 어깨 장갑을 목표로 전력의 일섬을 시도하는 동시에, 룩스는 마침내 신장을 기동했다.

"—《폭식(리로드 온 파이어)》."

압축강화를 실시하는 《바하무트》의 신장을 앞쪽 광범위에 전개.

크루루시퍼가 있는 공간 그 자체를 압축해서 시간이 흐르는 속도를 대폭 늦췄다.

대상을 거의 정지시킬 정도로 시간의 흐름을 늦추고 검을 휘두른 다음, 해제하는 동시에 몇 배의 속도로 공격을 가하는 룩스의 『폭격』.

이것이 《파프니르》의 자동 방어 무장인 일곱 장의 방패를 돌파할 공략법이다.

그러나 이번에는 당연히 크루루시퍼를 노리지 않았다.

룩스가 기룡의 손목과 어깨를 노리고 대검을 들었을 때, 파 직 하고 묘한 소리가 들렸다.

"위야! 룩스 군! 뭔가 내려오고 있어!"

에이릴의 목소리에 퍼뜩 놀란 룩스는 머리 위에서 떨어지는 파편을 포착했다.

그것은 조금 전 크루루시퍼가 저격한 통상탄이 명중한 위 치였다.

"설마, 이걸 미래 예지로 읽었다는 거야?!"

"맞아. 너만 신장을 쓸 수 있는 건 아니잖아?"

떨어진 잔해를 피하는 사이에 압축강화가 해제된 크루루시 퍼가 움직였다.

총구를 《바하무트》의 어깨에 대고 재빨리 《프리징 캐논》의 방아쇠를 당겼다.

"——."

회피 불가능한 타이밍에 공격당한 룩스는 무심코 숨을 삼 켰다.

총구를 어깨 장갑에 밀착시킨 제로거리 사격.

크루루시퍼가 승리를 확신한 순간, 그 총탄이 살짝 빗나갔다.

"……앗?!"

조금 늦게 이상이 일어난 것을 알아차린 크루루시퍼는 눈을 부릅떴다.

룩스는 그 틈을 놓치지 않고 대검을 휘둘렀지만 《오토 실드》가 눈앞을 가로막았다.

개의치 않고 검으로 강타하여 반동으로 뒤로 날아가며 룩스는 거리를 벌렸다.

"제법이네. 머리 구조가 궁금할 정도야. 내가 떨어뜨린 파편에 방해받자마자, 그 파편을 움직여서 날 방해하다니—."

"크루루시퍼 씨야말로 대단한걸. 하마터면 지는 줄 알았어."

거리를 둔 두 사람은 서로 상대방이 선보인 절기를 칭찬하며 미소 지었다.

파편을 튕겨낸 직후 룩스는 《바하무트》에 내장된 특수 무장 《공명파동》을 사용하여 《파프니르》의 장갑 쪽으로 파편을 날렸다.

그래서 크루루시퍼는 충격으로 손목이 흔들려서 필살의 일격을 빗맞힌 것이다.

"게다가 처음에는 일부러 《재화의 예지》를 쓰지 않았지. 쓸데없는 소모를 피하고, 확실한 기회다 싶은 순간에만 쓰기 위해서—."

미래 예지는 공방을 벌일 때 유용한 신장이지만 읽어낼 수 있는 미래는 어느 정도 한정돼 있다. 따라서 위기와 기회 직전에 발동해서 유리한 상황을 만드는 게 철칙이다.

일반적인 공방이나 전투 등을 거치며 실력을 쌓는다면 《재화의 예지》도 더욱 효과적으로 쓸 수 있다.

크루루시퍼는 그것을 실천하고 완수하였음을 증명했다.

"핫, 모처럼 열심히 따라잡은 끝에 뛰어넘은 줄 알았더니, 좀처럼 쉽게 이기게 해주질 않는군."

그것을 깨달은 리샤가 쓴웃음을 지었고 세리스도 고개를 끄덕였다.

"네, 다들 강해지고 있군요. 하지만 저도 지지 않을 겁니다."

"나도, 열심히 해야지."

끝으로 피르히도 진지한 얼굴로 결의를 새롭게 다졌을 때 크루루시퍼가 천천히 중얼거렸다.

"아쉽게도, 그건 반쪽짜리 답이네. 《재화의 예지》를 굳이 아낀 건 네게 내 실력을 보여주고 싶기도 했고— 다른 이유가 하나 더 있어. 네가 싸우는 진의를 파악하기 위해서야."

"……?!"

소녀의 뜻밖의 발언에, 룩스는 경계하며 고개를 기울였다.

"정말로 그 목걸이 때문에, 그녀에게 억지로 충성을 맹세한 건 아닌 것 같네. 너는 진심으로 그녀를 지키려 하고 있어. 그녀를 향한 배려와 깊은 마음이 느껴지거든."

"크루루시퍼, 씨……."

말로는 진실을 밝히지 못하는 룩스를 보고, 크루루시퍼는 의중을 파악하기 위해서 전력으로 룩스에게 싸움을 걸었다.

룩스의 의지를 확인하기 위해 일부러 그렇게 한 것임을 지금 깨달았다.

"너는, 아무 것도 변하지 않았어. 그런 가혹한 상황인데도, 우리에게 치명상을 입히지 않도록 최대한 배려하고 있지. 정말로 물러 터졌지만, 내가 좋아하는 평소의 너야."

"—으?!"

그 말을 들은 룩스의 뺨이 화악 붉게 달아올랐다.

긴박하던 전투의 분위기가 순식간에 완화되고, 룩스는 천천히 공격 자세를 풀었다.

이유는 설명할 수 없지만 에이릴을 믿고 지키려 하고 있다는 것.

그 행동에 세계의 멸망을 막기 위한 무언가가 있음을 크루루시퍼 일행에게 전달했다고 생각했기 때문이다.

그러나—.

"하지만, 그걸로 끝날 거라고 생각하는 건 아니지?"

갑자기 크루루시퍼의 미소가 싸늘하게 바뀌더니, 그녀는 다시 《파프니르》의 기공각검을 뽑아 휘둘렀다.

장갑을 장착한 상태에서 시도하는 정신조작.

지금부터 그녀가 펼칠 비장의 수가 무엇인지 룩스는 알고 있었다.

기룡 적성치가 최대인 인종—『열쇠 관리자』만이 사용할 수 있는 특수 모드, 『완전결합』이다.

극소 기계와 육체를 일부 동화함으로써 조작 정밀도가 현격히 올라가는 형태.

그것을 발동하여 룩스와 접전을 벌일 생각이다.

"잠깐, 기다려 봐 크루루시퍼 씨. 내 마음을 알았다면, 이 이상—."

"그건 어디까지나 표면적인 이야기야. 네 생각은 존중해. 하지만 그렇다 해도 너를 되찾는 것을 포기하진 않을 거야. 그러니 지금부터는 룩스 군의 처지와 생각을 이해한 상태로, 그래도 끝까지 빼앗아서 되찾을 작정이야."

"아……."

크루루시퍼 당당한 미소를 본 룩스도 그녀의 마음을 이해했다.

가령 룩스가 에이릴을 신뢰하고 있다 해도, 그 신뢰가 배신당할 가능성은 제로가 아니다.

그러므로 여기서 싸울 의지를 굽히지 않겠다. 그만한 각오를— 아니, 감정 그 자체를 부딪칠 생각인 것이다.

협정을 맺었기 때문에 앞질러나갈 수 없다면 싸움을 통해서 자신의 마음을 전달하고, 의지를 보여주려 하고 있다.

그런 크루루시퍼의 마음을 똑바로 받아들인 룩스는 자신이 행복한 사람이라고 느꼈다.

그녀는, 그녀들은 그렇게까지 룩스를 필요로 하고 있으며 소중히 여기고 있는 것이라고.

"그렇다면, 나도 전해줘야겠지. 에이릴을 믿어야 한다고."

룩스도 심호흡을 한 번 한 다음 크루루시퍼를 향해 대검을 겨누었다.

서로 마음을 나누고, 소원을 부딪치는 싸움이 재개되려 하는 바로 그 순간. 에이릴은 핏기가 가신 얼굴로 장치가 표시하는 내용을 바라보고 있었다.

†

　그 무렵, 고성 부근.
　『대성역』을 공략하기 위한 요새보다 조금 앞쪽에 수백 명의 기룡사들이 포진 중이었다.
　세계 연합이 소집한 정예 기룡사 부대.
　그들이 충분한 전의와 함께 개전의 봉화를 기다리고 있었다.
　『「창조주」, 즉 신성 아카디아 황국의 황녀에게 고한다. 우리 세계 연합의 대표는 귀하가 바라는 대로 이렇게 찾아왔다. 화평 교섭을 제안하고 싶다. 「칠용기성」을 풀어준다면 교섭을 받아들일 뜻으로 간주하도록 하겠다!』
　옆에 있는 《드레이크》의 용성을 통해 선고한 인물은 신왕국의 재상 나르프.
　각국 군주들은 요새에서 대기하고 그가 대표로서 지휘권을 잡고 있었다.
　7개국의 대표와 함께 온 것은 수백 명에 달하는 기룡사 증원 부대.
　신왕국 라피 여왕은 사대 귀족에게서 빌려온 정예 기룡사 네 명, 강화형 범용기룡 사용자를 호위로 데려왔다.

타국 군주들도 실력이 뛰어난 측근을 모아 왔으며, 유미르 교국에서는 에인폴크 가문의 집사 알테리제도 참석했다.

즉 정말로 남은 모든 전력을 집결하여『칠용기성』이 없더라도 고성을 함락시키겠다─ 그럴 각오로 온 것이었다.

물론 표면적으로는 무력을 배경으로 세운 평화 교섭도 겸하고 있으나 그것은 명목에 불과하다.

빈틈이 보인다면『창조주』들을 앞질러서 분쇄할 준비를 하고 있는 것이다.

고성 앞에 떠오른『창조주』의 성─『천궁』에서는 대답이 없었다.

『지금부터 5분만 기다리겠다. 대답이 없을 경우, 하늘에 떠 있는 귀하들의 성을 무차별 공격할 것이다!』

그럴 것이라고 예상한 나르프 재상이 다시 기룡의 확성 기능을 이용해서 선전포고 했다.

사람을 흉내 내는 섀도라는 환신수의 선동으로 인해 국민들의 반란을 우려한 각국은 마침내 움직일 수밖에 없게 되었다.

이해하기 쉬운 형태로『창조주』들을 섬멸하려는 움직임을 보이지 않으면 섀도의 정보가 옳다고 오해받을 수 있기 때문이다.

그리고 블래큰드 왕국『칠용기성』보좌관 츠바이베르크가 지휘하는 백령 기사단의 분전과 리샤 일행이 가세한 덕분에, 드디어 고성 주변의 환신수가 일소되었다.

이 호기를 놓칠 수는 없었다.

따라서 나르프 재상은 5분의 유예라는 기한을 두고 선고한 것이다.

　전원이 바짝 긴장하고 마른침을 삼키며 천상의 공중 궁전을 올려다보았다.

　이미 적군이 보유한 환신수라는 전력의 태반을 처리하고 고성 앞까지 진군했다.

　기룡사들의 포구는 『창조주』의 성인 『천궁』에 고정된 채 숨을 죽이고 개전을 기다리고 있었다.

　긴박한 정적.

　시계 바늘이 3분을 지나고, 나르프 재상이 허공을 노려보았다.

　일제공격 신호를 내리고자 크게 숨을 들이켠 그 순간.

　『이런, 이런. 이제야 오셨나요.』

　나르프 재상도 군사 회의 때 몇 번 들어본 목소리— 제1 황녀 리스테르카의 대답이 『천궁』에서 확성기를 거쳐 들려왔다.

　그것은 기막힘과 낙담이 섞인 한숨이었다.

　『솔직히, 기다리다 지칠 정도였답니다. 왜냐하면 처음부터 저는 이렇게 하고 싶었으니까. 이때를 계속 기다려왔으니까. 눈을 뜬 이후로 몇 년…… 아니, 잠에 들어야 했던 수백 년 이상 전부터, 우매한 무리들에게 철퇴를 내릴 순간을 계속 기다려왔어요.』

　"……"

　고성 앞에 포진한 세계 연합의 기룡사들이 동요하고, 나르프 재상이 눈살을 찌푸렸다.

"시간을 벌기 위한 쓸데없는 수작이라면 남은 수명만 줄어들게 될 거요, 황녀. —앞으로 2분 남았소."

뚜껑을 연 회중시계를 한쪽 손에 들고 나르프 재상은 선고했다.

이어서 그 사이를 메우려는 것처럼 다시 입을 열었다.

"귀공들의 주위에 환신수가 없다는 것도, 아군 기룡사가 거의 없다는 것도 《드레이크》의 레이더로 파악을 마쳤소. 허세라는 건 다 간파되었지. 유리한 위치에서의 교섭은 고사하고, 더욱 심증을 악화시킬 거라는 것을 아시오."

서서히 말투를 강하게 바꾸며 위협하는 나르프 재상.

그와 대조적으로 리스테르카는 한결 같이 부드럽게 응수했다.

『교섭이요? 무슨 말씀이신지? 죄송하지만 거부하겠습니다. 당신들의 목숨 정도를 받고 넘겨줄 수 있는 것은 하나도 없으니까요.』

"——?!"

『천궁』에서 내려온 리스테르카의 한마디에 나르프는 굳은 얼굴로 입을 다물었다.

지금 『창조주』들에게는 총원 1천 명에 달하는 기룡사를 상대할 방법이 없을 것이다.

『용비적』 사단장도 전원 사망하였으며, 그 잔당이 수십 명 정도 남아 있는 정도이리라.

그 잔당조차 각지에 흩어져서 선동 작업을 위해 새도를 관리, 감시하는 정도의 행동밖에 하고 있지 않았다.

그런데, 이 고자세는 어떻게 된 것일까?

적은 이 연합군의 전력을 마치 존재하지 않는 것처럼 치부하고 있었다.

『현 시대의 권력자인 당신들과 그럭저럭 솜씨가 괜찮은 기룡사들을 하나도 남김없이 죽이기 위해서 여기로 불러낸 거예요. 당신들이 해야 할 일은 이제부터 빠르게 죽어주는 것입니다. 앞으로 제가 세계를 통치하기 위해서, 한 명도 놓치지 않을 생각이에요.』

"큭…… 앞으로 1분이다!"

리스테르카의 담담한 선전포고.

단순한 위협보다도 월등히 무서운 대답을 듣고 나르프 재상은 이를 갈았다.

그것은 그 이야기를 듣고 있던 정예 기룡사들에게도 분노로 전파되어 온갖 기룡의 조종간에도 힘이 실렸다.

그 전의가 아지랑이처럼 일렁이기 시작한 순간, 다시금 리스테르카의 목소리가 내려왔다.

『그렇다면, 제 쪽에서도 잠시 예고를 하겠어요. 12일이라는 기한은 당신들을 이 처형장으로 모으기 위한 방편이었으므로 지금 철회하겠습니다. 대신 당신들의 목숨이 얼마나 남았는지 알려드리지요.』

처음으로 나르프 일행 앞에 모습을 드러냈을 때와 같이 부드러운 목소리.

그리고 우아한 말투로 리스테르카는 선고했다.

『약 15분. 그것도 과대평가일까요? 여러분 같은 잡병을 처리하는 정도이니.』

"─총원, 전투 준비! 지금부터 『창조주』 일당을 토벌하겠다!"

기다리다 못한 나르프가 마침내 전투 개시 신호를 내렸다.

"목표는 고성 앞에 떠 있는 『천궁』이다! 《와이번》 부대는 공중을 날아 접근해서 캐논으로 포격. 《와이엄》 부대는 《드레이크》에 지원 강화를 받고 지상에서 공격해라! 한 놈도 놓치지 마라!"

『조금 전부터 제 이야기를 안 듣는군요? 「천궁」보다, 주위를 먼저 보는 게 좋을 텐데요?』

"뭐라고?"

탄식과 함께 리스테르카가 꺼낸 말을 듣고 나르프 재상은 미심쩍어 하는 표정을 지었다.

『마기알카 젠 반프리크는 대단한 사람이군요. 고성에서 너무 먼 거리에 거점을 마련하면 공격할 수 없게 되고, 너무 가까우면 함정에 빠지게 되죠. 하지만 여러분 정도로 앞으로 나와 주신다면 완전히 포위할 수 있어요.』

"네년의 헛소리에는 질렸다! 각오해라!"

그 직후, 혈기왕성한 병사 한 명이 《와이엄》의 캐논으로 『천궁』을 겨냥했다.

거리가 먼 탓에 위력은 줄어들지만, 그래도 특장형 《드레이크》의 지원 강화를 받으면 충분한 위력을 발휘한다.

일제 포격을 시작하기 전의 신호탄으로써 그 병사가 에너지를 충전했을 때, 옆에 있던 병사가 문득 곤혹스러운 목소리로 물었다.

"이, 이봐?! 뭐야 그 장갑은? 뭔가 붙어 있는데?"

"응……? 아닛—?!"

옆에 있는 병사에게 지적받고 캐논을 쏘려고 준비 중이던 《와이엄》 사용자가 경악했다.

장갑 위에, 기묘하게 생긴 창백한 촉수가 들러붙어 있었다.

하지만 그것은 지적한 병사 쪽도— 그리고 그 주위에 있는 십여 명의 병사들도 마찬가지였다.

"아뿔싸! 땅속에서 환신수가 출현했다! 다들 장벽을 강화해라!"

《엑스 와이번》을 장착한 분대장 기룡사가 재빨리 그 몸통에 얽힌 촉수를 절단했다.

궁지에서 탈출하여 안도한 것도 잠시.

순식간에 재생된 촉수가 다시 분대장의 몸을 휘감았다.

"뭐, 뭐야 이 재생속도는……?! 일반 환신수가 아니야! 설마—크어억!"

경악을 흘릴 새도 없이 촉수에 휘감긴 기룡사는 장갑을 압박당한 끝에 동체가 부서지더니 그대로 내장을 입으로 토해내며 절명했다.

"이건…… 아니, 말도 안 돼, 그럴 리가……. 이 녀석이 『방주』의 라그나뢰크, 『포세이돈』일 리가 없어!"

과거에 보고를 받아 그 모습을 알고 있던 나르프가 신음했다.

땅속에서 잇따라 튀어나오는 무수한 촉수.

그것들을 상대하는 신왕국군의 얼굴에 공포와 동요가 떠올랐다.

물론 주군과 함께 결전의 자리에 참여한 이상 각오는 이미 되어 있었다.

『창조주』들이 거느린 기룡사든, 환신수의 대군이든, 『성식』이든 얼마든지 상대해주겠다고—.

그러나 굉음을 내며 흔들리는 대지와 함께 그것들이 나타난 순간 그 각오도 날아가고 말았다.

"나, 나르프 지휘관님! 화, 환신수의 반응이—."

그때, 연합군의 《드레이크》 사용자 한 명이 떨리는 목소리로 말했다.

"땅속에서인가?! 지금까지 반응은 없었을 텐데, 몇 마리가 나타났나?!"

"이, 일곱입니다! 환신수 반응은 일곱 개— 아, 아니, 이 거대함은, 어째서······?!"

쿠콰! 그 순간 굉음과 함께 땅속이 폭발했다.

폐허의 거리와 땅이 터져나가고 분진의 소용돌이가 일어났다.

약 십여 초 동안 혼란과 함께 시야가 차단당하고, 그 사이에 수십 명의 비명이 동시에 울려 퍼졌다.

"뭐야?! 내 위치가 멋대로 바뀌고 있어! 눈앞에 적이— 크헉?!"

대형 선박의 마스트보다 더욱 굵은 거대한 강철 팔.

눈으로 좇을 수 없는 속도로 튀어나온 그것에 꿰뚫린 유미르 교국의 《와이번》 사용자가 분쇄되었다.

그 위력도 놀라웠지만, 지상에서 진형을 짜고 있었을 터인 그는 갑자기 아무 것도 없는 공중으로 내던져졌다.

"저건—『데우스 엑스 마키나』?! 유미르 교국 유적의 라그나뢰크가, 룩스 님이 지난번에 해치운 놈이 어째서?!"

유미르 교국의 정예부대.

그 분대장으로 와 있던 에인폴크 가문의 집사 알테리제가 무심코 소리쳤다.

유미르 교국 기룡사들이 잇따라 참살당하고, 살점과 금속 파편이 뒤섞여서 사방으로 흩어졌다.

그러나 비극은 거기서 끝이 아니었다.

"이 거대한 구체형 환신수는 또 뭐야! 어떤 공격도 안 통해! 전부 반사돼서—."

날개 달린 구체형 라그나뢰크『메타트론』의 공격 반사 능력.

그것에 대응할 계책을 세우기도 전에 반사된 일제 포격을 정통으로 얻어맞은 마르카팔 왕국 정예부대는 와해되기 시작했다.

게다가 오른쪽 날개— 반하임 공국의 기룡사들은 절대영도의 숨결을 토해내는 늑대형 라그나뢰크—『펜리르』의 습격에 십여 명이 얼어죽었다.

이어서 대악마 라그나뢰크, 이블리스의 정신 오염으로 인해 혼란에 빠진 것은 블래큰드 왕국군.

강인한 생명력과 강화 능력으로 내성이 강해진 위그드라실의 가지에 찔려 토르키메스 연방군도 진형이 붕괴됐다.

그리고 그 정체조차 밝혀지지 않았던 불사조 라그나뢰크『피닉스』가 불꽃을 띤 깃털 수천 개를 불화살처럼 사출하여 헤이부르그 공화국군도 뿔뿔이 흩어졌다.

"이럴 수가, 이건 말도 안 돼! 어떻게 이런……!"

『성식』, 또는 환신수의 대군과 싸우는 것을 가정하긴 했지만, 일곱 마리의 라그나뢰크가 한꺼번에 달려드는 상황은 예상치 못했다.

하나하나의 전투력이 수백 마리의 환신수에 필적하며, 사신처럼 흉악한 특수 능력까지 가진 라그나뢰크.

그 무시무시한 적이 부대를 포위하고 사방팔방에서 공격을 퍼부었다.

강력한 비장의 카드— 남겨두었던 일류 병사들도 이 기습은 감당하지 못하고 무너졌다.

7개국을 합쳐 약 1천 명에 가까운 정예부대의 20퍼센트가 개전한지 겨우 몇 분 만에 전사했다.

유능한 군인이라면 즉각 퇴각해야만 하는 상황이었으나 주위를 포위당한 상태로는 불가능했다.

억지로 돌파하기 위해 등을 돌리면 전멸은 피할 수 없다.

따라서— 어떻게 할 도리가 없었다.

아비규환의 지옥도.

혼돈 속에서, 나르프 재상은 그저 부르짖을 수밖에 없었다.

"뭐냐! 대체 뭐냔 말이다?! 예전에 쓰러뜨린 일곱 라그나뢰크가, 어떻게 여기에 있는 거냐고?!"

『되살렸으니까요. 신탁의 무녀인 제가.』

그 말을 기다리기라도 한 것처럼 리스테르카가 『천궁』에서 즉각 응답했다.

『제 여동생, 코랄이라는 이름으로 반하임 공국에 보내두었던 스파이— 에이릴 뷔 아카디아가, 지금 막 「대성역」의 기능을 작동시켰습니다. 쉽게 말하자면, 일곱 라그나뢰크를 재생해서 해방하는 마지막 스위치를 눌러주었다는 거예요.』

『천궁』 밑에서 거대한 빛의 틀이 팟, 떠오르면서 거기에 에이릴과 룩스의 옆모습을 투영했다.

"……크, 으윽!"

그것을 본 나르프 재상은 욕설조차 돌려줄 수 없었다.

모든 것은 리스테르카의 계략 내.

자신들이 그녀의 손바닥 위에서 놀아나고 있었음을, 그제야 이해한 것이었다.

†

"하아…… 하아, 하앗……!"

한편 그 무렵— 고성 지하, 『대성역』 표층부 가장 안쪽의 넓은 홀.

심층부로 가는 문을 열기 위한 장치 앞에서 안색이 납빛으로 변한 에이릴이 숨을 가쁘게 몰아쉬고 있었다.

지상에서 싸우는 소리는 이 『대성역』까지 닿지 않았다.

그 대신 은색 벽면에 투영된 고성 앞 광경은 지독히도 선명했기 때문에, 에이릴이 누른 스위치가 결코 돌이킬 수 없는 결과를 초래하였음을 증명해주었다.

각국의 비장의 카드였던 일류 기룡사들은 일곱 라그나뢰크들의 복합 공격 앞에서 잠시도 버티지 못하고 차례차례 목숨을 잃고 있었다.

무장을 잃은 이, 다친 이, 공황에 빠져 도망치는 이.

약한 모습을 보인 사람부터 무정한 공격을 받아 그대로 산화했다.

지금까지 전력을 다한 공방을 펼치고 있던 룩스와 크루루시퍼 일행은, 피로 점철된 그 지옥도를 보고 입도 뻥긋 하지 못한 채 굳어버렸다.

『아주 훌륭해, 에이릴. 「창조주」로서 진정한 사명을 무사히 완수해주었구나. 네 개인적인 소망도, 최대한 고려해보도록 할게.』

"……에이릴, 이건—?!"

상상조차 하지 못했던 상황에 룩스도 아연히 중얼거릴 수밖에 없었다.

에이릴이, 그녀가 자신의 피를 바쳐서 한 일은 심층부로 가는 문을 여는 게 아니라 되살려낸 라그나뢰크의 해방.

룩스는 잠시 자신이 속은 게 아닌가 생각했지만, 에이릴의 이마에 맺힌 땀을 보는 한 아마도 아닐 터였다.

　여기서부터는 룩스의 상상이지만, 이것은 리스테르카가 파둔 함정이었다.

　'여기까지 전부 계산해두었다면, 정말 대단한 모략이야……!'

　리스테르카는 에이릴의 반역 의지를 알고 있었다.

　아니, 정확하게 말하자면 조금 다르다.

　에이릴이 반역 의지를 가졌을 가능성까지 고려해서, 어떤 눈이 나오더라도 확실하게 이길 수 있는 주사위를 던졌다.

　손이 부족하기 때문에 룩스를 이용해서 『대성역』을 공략하고 싶지만, 만에 하나라도 세계 연합을 동정하게 된 에이릴이 배신하고 앞서나가면 곤란해진다.

　동시에 리스테르카에게도 과제가 있었다.

　각국의 왕후귀족과 기룡사를 거의 다 숙청한 이후에 세계 지배로 이어나가기 위한 노림수가.

　『대성역』으로 가는 길이 열리고 그 시스템에 지금 이상으로 간섭할 수 있게 된 순간. 최대의 전력인 라그나뢰크 일곱 마리의 부활을 우선하여 에이릴을 속이고 해방 기구를 가동했다.

　실로 무서운 점은 각국의 주력과 권력자를 유인해서 함정에 빠뜨린 것이 아니라, 에이릴과 룩스를 써먹은 방식이다.

　이로써 룩스는 더 이상 에이릴을 믿을 수 없을 것이다.

　왜냐하면 과정이야 어찌되었든 간에, 결과적으로 함정이었으니까.

　룩스를 이용해서 세계 연합의 정예부대를 죽였다.

그리고 지금도, 리샤 일행을 더한 모략에 끌어들이려 할 가능성이 있었다.

"제기랄— 처음부터 이게 목적이었냐?! 제2 황녀!"

"자세한 내막은 모르겠지만, 이대로 네게 그를 맡겨둘 순 없을 것 같네."

리샤가 소리치자 크루루시퍼는 냉정하게 에이릴을 규탄했다.

이제 에이릴에게는 『창조주』를 속이고 앞질러 나간다는 선택지가 사라졌다.

세계 연합은 라그나뢰크 부활의 스위치를 누른 최대의 적으로 인식하였을 것이며, 리샤 일행도 그렇다.

다시 말해 룩스 일행과 화해는 물 건너갔고, 도주로마저 빼앗겼다.

그것이 리스테르카의 또 다른 계획이었던 것이다.

'—아니, 그게 진실인지는, 알 수 없어.'

에이릴이 토로한 마음이, 룩스에게 보여준 각오가, 그 모든 것이 거짓일 가능성도 있다.

아니, 처음부터 모두를 속인 것을 생각하면 이번에도 똑같이 룩스를 속여서 이용했다고 생각하는 게 자연스러울지도 모른다.

실제로 현재 세계 연합은 잇따라 전력을 빼앗겼으며, 피할 수 없는 파멸이 코앞에서 기다리고 있었다.

그렇다면 명령을 거부한 탓에 『쐐기』에 목숨을 잃게 된다 해도, 더 이상 그녀를 도와줘서는 안 될지도 모른다.

'하지만, 나는……'

룩스는, 지금 옆에서 절망에 빠져 떨고 있는 에이릴의 모습이 연기라고 생각하지 않았다.

설령 그렇다 하더라도, 잘못된 선택지를 고를 수는 없었다.

'어떡하지? 어떻게 해야—'

그런 극한의 상황 속에서, 불현듯 에이릴의 표정이 바뀌었다.

《자하크》의 장갑팔이 민첩하게 《블레이즈 윕》을 쥐는가 싶더니 일렁이는 곡선이 방의 공간을 찢어냈다.

"……큭?!"

콰지직! 섬광과 함께 충격이 일어나고 천장과 바닥이 부서져 나갔다.

무수한 파편이 떨어지는 가운데, 에이릴은 메마른 미소를 짓고 있었다.

"후우, 좀 더 너희를 속일 수 있을 거라고 생각했는데, 역시 안 될 것 같네."

"……에이릴?"

싸늘한 목소리에 룩스는 등골이 서늘해지는 것을 느꼈다.

소름이 돋을 만큼 어둡게 그늘진 시선으로 바라보며 에이릴은 조용히 말했다.

"……미안해, 룩스 군. 하지만 이건 네 잘못이야. 『창조주』인 내 말을, 원래는 적인 나를 쉽게 믿은 대가야. —뭐어, 그런 성격이 다루기 쉬워 보였으니까, 포로들 중에서 널 고른 거지만 말야. 역시 내 안목은 잘못되지 않았다니까."

지금까지 본 적 없는 사악한 미소.

모멸찬 눈빛을 보내며 소녀가 비웃었다.

"그건 그렇고 너는 영웅 실격이구나. 네 덕분에 여기에 도착할 수 있었어. 네가 시간을 벌어준 덕분에, 부활시킨 라그나뢰크를 내보낼 수 있게 됐지. 이렇게 간단하게 속아 넘어가다니—. 네 탓에 모두가 죽는 거라고."

"큭……?!"

핵심을 관통당한 룩스는 부르르 떨었다.

그렇다.

룩스가 에이릴을 믿고 싶다고 생각한 바람에 결국 이런 사달이 나고 말았다.

그 직후, 이야기를 듣고 격분한 리샤가 노호를 터뜨렸다.

"네 이년……! 그 『쐐기』라는 물건으로 룩스를 구속하고, 속인 주제에……!"

"—미안하지만, 거기서 비켜줄래 룩스 군? 목걸이 때문에 그럴 수 없는 거라면, 이번에야말로 못 움직이게 해주겠어."

"……."

리샤와 크루루시퍼는 자신의 특수 무장을 들고 호흡을 가다듬었다.

두 사람은 진심이다.

지금까지는 적대하면서도 어쩐지 에이릴에게 기대를 품은 것 같았지만, 지금 이 순간 그 느낌은 사라졌다.

아니, 그렇다기보다도 세계 연합의 주력이 일곱 라그나뢰크의 공격을 받고 괴멸을 앞둔 탓에 이제는 일각의 유예조차 없어진 것이리라.

에이릴의 본심이 어떻든지 간에 여기서 쓰러뜨리겠다.

룩스가 가로막으려 한다면 싸워서 승리를 손에 쥐겠다.

그런 의지가 눈에 보였다.

"유감이지만 그럴 순 없지. 너희를 상대해줄 정도로 한가한 몸이 아니거든. 그러니 룩스, 네게 맡길게. 날 지켜. 쫓아오는 그녀들의 공격을 막아!"

그 직후, 에이릴은 오만하게 웃으며 《자하크》로 날아올라 제어실과 별실을 연결하는 통로로 향했다.

한발 빠르게 조금 전 발견한 귀환용 포털을 통해 고성으로 돌아갈 작정이다.

"그 목걸이를 파괴하려고 해도 소용없어! 건드리면 단 1초 만에 전기 충격이 그의 몸을 태울 거야. 목걸이를 파괴하려는 낌새를 보이면 일격으로 즉사 급 위력을 발휘한다고! 자, 같은 편끼리 싸워봐! 세계의 희망을 여기서 끊어버려!"

"게 서지 못하겠느냐, 제2 황녀!"

추격하기 위해서 리샤가 《티아마트》로 날아오르고 크루루시퍼도 그 뒤를 따랐다.

잠깐 망설이는 사이 뒤처진 룩스도 반사적으로 그녀들을 쫓으려 제어실에서 나갔다.

"어쩌면 좋지?! 나는, 어떻게 해야……!"

이제 세계 연합의 괴멸까지 몇 분도 남지 않았다.

세계 연합이 궤멸되면 일곱 라그나뢰크는 롤로트가 지휘하는 방위거점을 짓밟고, 라피 여왕을 비롯한 각국 대표들을 몰살시킬 것이다.

이 이상의 망설임은 허용되지 않는다.

지금 결정해야만 한다.

그러나 어느 쪽도 선택할 수 없었다.

에이릴은 조금 전 찾은 통로 끝, 고성으로 돌아가는 포털을 통해 리샤 일행에게서 달아날 작정이리라.

이 목걸이를, 하다못해 『쐐기』를 벗을 수만 있다면―.

'―아니, 잠깐만.'

그 찰나, 룩스의 머릿속에 의문이 떠올랐다.

조금 전 확인한 외길 통로. 그곳을 지나가는 에이릴을 추격하는 지금의 구도를.

'왜 굳이, 나랑 에이릴만 아는 포털 방향으로 도망치는 거지?'

『룩스! 신장을 써! 《바하무트》의 기능을 전개하고, 공격력을 강화해서 녀석들을 처치하라고!』

에이릴의 질타가 용성을 통해 날아왔다.

그 한마디로 룩스 안에서 확신이 싹텄다.

"그래, 그런 거였구나!"

에이릴이 무엇을 노리고 있는지, 진실은 무엇인지.

그리고 지금 자신이 무엇을 선택해야만 하는지도.

"통로로 달아나는 정도로 우리를 멈출 수 있을 거라 생각하지 마라! 《공정요새^{레기온}》!"

리샤가 《티아마트》의 특수 무장, 화살촉 모양 투척병기를 연사해서 도주하는 에이릴의 등을 노렸다.

"큭……."

몸을 비트는 궤도로 그것을 피한 순간, 크루루시퍼의 《파프니르》가 동결탄으로 저격했다.

미래 예지 신장을 활용한 그 일격은 멋지게 날개를 얼려서 기동력을 저하시켰다.

추진력을 잃고 추락하는 《자하크》가 《블레이즈 윕》을 휘둘렀지만 자동방어 무장 《오토 실드》에 막혔다.

"—해치워, 룩스! 《폭식》을 써서, 저것들을 쓰러뜨리라고!"

"어림없다 『창조주』! 네 야망은 여기서 끝이다!"

리샤가 캐논을 들고, 크루루시퍼가 연속 사격 자세를 취했다.

얼린 뒤에 캐논을 쏘면 장벽이 제대로 발동되지 않고 장갑도 간단히 부서진다.

그 점을 노린 크루루시퍼가 동결탄을 쏘고 이어서 리샤가 캐논 방아쇠를 당겼을 때, 공격 궤도상에 한 그림자가 나타났다.

"……아니?!"

"룩스 군?!"

에이릴 앞을, 《바하무트》를 장착한 룩스가 가로막았다.

그 장벽 위에 두 사람의 공격이 정확히 명중했다.

"윽, 아악……!"

장갑이 미처 막아내지 못한 충격이 몸에 도달하자 룩스는 신음했다.

그래도 에이릴을 노린 공격을 전부 자신의 몸을 방패삼아 받아냈다.

"젠장! 저 『쐐기』만 아니었어도—!"

"아니, 그건 아니야. 적어도 그는, 『쐐기』 때문에 그녀를 감싼 게 아니야."

이를 가는 리샤 옆에서 크루루시퍼는 냉정하게 지적했다.

룩스 뒤에 있는 에이릴의 얼굴에서, 지금까지 떠올라 있던 냉소가 사라진 것을 깨달았기 때문이다.

"……어째서."

소녀의 가면에 균열이 생기더니 산산이 부서져 내렸다.

자신을 감싸고 대신 공격받아 어깨와 이마에서 피까지 흘리고 있는 룩스를 보며 에이릴은 떨리는 목소리로 물었다.

"어째서, 아직도 나를 도와주는 거야?! 왜 신장을 안 쓰는 거냐고?!"

그것은 룩스가 몇 번이나 보아 온 코랄의 표정.

자신을 믿어달라고 말하던 친구의 표정이었다.

"그런 식으로 가르쳐 준거지? 아까부터 계속 말이야. 내가 《바하무트》의 신장을 쓰면 이 『쐐기』를 벗겨낼 수 있다고, 가르쳐준 거잖아."

"……헛?!"

룩스가 지적하자 리샤와 크루루시퍼는 숨을 삼켰다.

"『쐐기』는 충격을 감지한 1초 후에 전기를 방출해. 하지만— 『칠용기성』 중에서 나 한 사람만은 《바하무트》를 장착하고 있는 한 그 사이를 돌파할 수 있어. 싱글렌의 전진처럼 조율을 응용해서, 목걸이가 방출하는 전기에 일점집중으로 《폭식》을 가하면…….”

“―뭐?! 그러면 뭐가 어떻게 된다는 거냐?”

당황하는 리샤 옆에서 크루루시퍼가 시원스럽게 머리카락을 쓸어 올렸다.

“……그런 거였구나. 《바하무트》의 신장은 원래 모든 사상을 대상으로 압축강화를 걸 수 있어. 즉, 에너지 출력을 대상으로 《폭식》을 발동해서 룩스 군이 차고 있는 『쐐기』에 그걸 사용하면―.”

처음 5초 동안 『쐐기』가 방출하는 전기 충격의 위력을 십여 분의 1수준까지 감쇠시킬 수 있다.

즉 충격을 감지하고 전기를 방출하더라도 5초 이내에 그것을 제거하기만 한다면 치명상을 입지 않고 목걸이에서 해방될 수 있다.

그 힌트를, 에이릴은 룩스에게 계속 주고 있던 것이다.

“말도 안 돼! 저 놈이 아군이라면, 어째서 처음부터 룩스의 『쐐기』를 풀어주지 않은 건데?!”

“그럴 수 없는 사정이 있었다……고 보는 게 타당하겠지. 아마도 어느 지점까지는 룩스 군과 함께 『대성역』을 공략하고 싶었던 게 아닐까? 그래서 일부러 『쐐기』를 벗기지 않은 거지. 그 빈틈을 리스테르카에게 이용당해서 이런 상황이 되고 말았지만. 어때? 내 추측이.”

"……."

에이릴은 아무 대답도 하지 않고 고개를 숙이고 있었다.

그것이 대답이었다.

리스테르카의 모략에 빠져 일곱 라그나뢰크를 해방한 에이릴은 더 이상 룩스 일행이 자신을 믿어줄 리 없다고 판단하고서 자기 자신을 악인으로 만들었다.

처음부터 룩스를 속이려 한 것이라고 여기게 한 다음, 자신을 죽이게끔 유도했다.

고성으로 돌아가는 포털까지 끌어들인 다음에 죽을 작정이었던 것이다.

"왜 나를 공격하지 않았어? 어째서?! 왜 넌 아직도, 이런 나를 믿어주려는—."

"그야…… 믿고 싶었으니까. 에이릴이랑 똑같아."

"으……?!"

룩스의 미소를 본 에이릴의 얼굴이 비통하게 일그러졌다.

"네가 우리를 정말로 속일 생각이었다면 라그나뢰크가 부활한 뒤까지 연기할 필요는 없었을 거야. 『쐐기』를 작동시켜서 나를 죽이고 도망치기만 하면 너희의 승리니까. 그런데 에이릴, 너는 우리가 이길 기회를 남겨두었지. 이 포털까지 일부러 유도하고, 나머지 『칠용기성』을 위해서 『쐐기』의 해제 방법까지 가르쳐주었어."

"—."

룩스가 《바하무트》를 이용한 해제 방법을 알아내면 포털을 통해 고성으로 돌아가『칠용기성』도 구할 수 있다.

두 사람의 대화를 듣고 리샤와 크루루시퍼, 그 뒤에 서 있는 세리스와 피르히는 나란히 숨을 죽였다.

그녀가 적이 아니었음을 드디어 깨달았다.

『에이릴. 네 본분을 잊은 건 아니겠지?』

잠깐의 침묵을 찢고 작은 방 안에서 목소리가 울렸다.

『대성역』에 간섭하는 리스테르카의 능력.

포털이 있는 방까지 이동했기 때문에 그녀의 목소리가 닿게 되었다.

『이제 그들을 속일 필요는 없어. 그만 돌아오렴. 네가 있을 곳은 여기잖니?』

그것은 일종의 협박이었다.

세계 연합은 조금 전 영상을 보고 에이릴을 자신들의 적으로 간주하게 되었다.

지금 리스테르카 곁으로 돌아가지 않으면 에이릴은 돌아갈 곳을 잃게 된다. 어디에도 그녀의 아군은 없다.

"그렇, 죠……."

에이릴은 허무한 표정으로 언니의 말에 대답했다.

"원래, 우리『창조주』에게 제대로 된 보금자리는 없을지도 몰라요. 누군가를 지배하지 않으면, 살아갈 수 없는 운명일지도 몰라요. 우리가 잠들기 전 세계는 그랬죠."

『맞아, 그 말대로야. 그렇기 때문에 우리가「대성역」을 독점해야 하는 거지. 이 새로운 세계의 지배자로 군림하는 거야.』

희색을 띤 리스테르카의 목소리. 그러나 에이릴은 힘없이 고개를 저었다.

"─하지만, 착각이었어요. 우리의 본질은 지배자이고, 숭상받고, 경외 받는 존재이며, 혹은 사람들이 멀리하는 존재밖에 될 수 없다고 생각했죠. 하지만 언니한테 감쪽같이 속아버린 나를, 그들만은 믿어주었어요……."

"아……."

불현듯 에이릴의 시선이 자신을 향하자 룩스의 입에서 작은 소리가 새어나왔다.

에이릴이 바라는 바를 알아차린 룩스는 《폭식》의 압축강화를 자신의 『쐐기』에 가했다.

그 순간 《자하크》가 휘두른 《블레이즈 윕》이 눈 깜빡할 사이에 『쐐기』를 양단했다.

『─무슨 짓이야!』

"이게 제 대답이에요, 언니. 설령 세계 연합의 손에 처형당한다 해도, 저는 더 이상 후회하지 않을 거예요. 저는 제 의지로, 『대성역』을 손에 넣겠어요!"

"너는……."

그것을 본 리샤가 자기도 모르게 중얼거리고, 크루루시퍼도 작게 탄식했다.

그리고 그 뒤에서 나타난 세리스와 피르히도 상황을 파악하고 고개를 끄덕였다.

에이릴이 자기들 쪽으로 돌아섰음을.

자신들과 함께 세계를 구하기 위해 싸우리라는 사실을.

『―안타깝구나. 에이릴.』

긴 한숨과 함께 리스테르카가 다시 입을 열었다.

『네가 보인 헌신에 존경심마저 품었건만, 이렇게나 어리석은 아이였을 줄은 생각지도 못 했어.』

목소리에는 억양이, 온기가 없었다.

소름 돋을 정도로 차디찬 음색.

『애완동물을 예뻐하지 말라고 할 순 없지만, 가축을 위해서 집을 버리는 것은 황족으로서 명예롭지 못한 행동이지. 그들과 함께 네 분수를 통감해보려무나.』

그 말을 끝으로 통신은 끊겼다.

하지만 선전포고를 받고도 룩스와 에이릴은 더 이상 망설이지 않았다.

"얼른 이탈하지요, 룩스. 그 포털로 고성으로 돌아가서 『칠용기성』을 풀어줘야 합니다. 저 일곱 라그나뢰크 앞에서 세계를 지킬 방법은 그것밖에 없어요."

여전히 피로한 기색이 짙게 남아 있는 세리스가 말하자 다른 사람들도 고개를 끄덕였다.

"그래, 여기까지 어떻게든 기를 쓰고 오긴 했지만, 우리도 한계가 가까워……."

『용비적』과 치른 결전 때문에 전원이 피로한 상황이었고, 부상에서 회복된 뒤로 얼마 지나지도 않았다.

그 리샤 일행이 단기간에 여기까지 이동하고 치열한 전투를 펼칠 수 있었던 것은, 룩스의 목숨이 달려 있다는 생각에 정신력으로 버틴 덕분이었다.

요약하자면—.

"한심하지만, 그들에게 맡길 수밖에 없겠네. 세계의 운명을……."

크루루시퍼의 한마디가 모든 것을 정리해주었다.

이미 연합군은 요새로 퇴각하기 시작했을 것이다.

그러나 겨우 몇 키르도 안 떨어져 있는 거점 요새에는 각국 왕들과 측근이 모여 있다.

퇴각한 부대와 왕들을 한꺼번에 처리한 후에 라그나뢰크는 세계 각지로 진군하리라.

그렇게 되면 모든 것이 끝장이다.

『대성역』에 도달하기 전에 이 세계는 리스테르카의 손에 떨어질 것이다.

"가자, 룩스 군!"

"응."

에이릴의 말에 고개를 끄덕이며 룩스를 위시한 일동은 포털에 올라갔다.

바닥에 새겨진 진이 연한 빛을 발하며 그들을 삼켰다.

이제부터는 시간과의 싸움이다.

헤이즈는 고성 앞 전선에서 지휘 중이므로 리스테르카와 헤이즈가 돌아오기 전에 『칠용기성』을 구출해야만 한다.

그 뒤에 남는 문제는— 일곱 라그나뢰크.

그 압도적인 위협을, 과연 나머지 전력으로 다시 한 번 막아낼 수 있을까?

"으……."

빛에 감싸이자 체중의 감각이 사라졌다.

어느새 룩스 일행은 고성 뒷문에 서 있었다.

"……좋아!"

『칠용기성』은 틀림없이 고성 부지 내의 예배당에 유폐되어 있다.

전속력으로 그곳으로 이동하려는 찰나, 룩스는 등골이 얼어붙는 듯한 살기를 느꼈다.

─카우우우웅!

"뭐지?!"

룩스, 에이릴, 그리고 리샤를 포함한 나머지 인원들도 전부 말을 잃었다.

하늘에서 내려꽂힌 굉음.

충격파의 잔재가 고막을 강타하고 뇌를 뒤흔든다.

그 찰나의 순간에 **끝나버렸다.**

룩스를 제외한 『칠용기성』이 붙잡혀 있는 거대한 예배당은 단 한 번의 칼질 앞에서 박살났다.

"이게, 무슨……."

『─당연한 수순 아닌가요? 당신이 배신하면 「칠용기성」은 무용지물이에요. 세뇌할 기회도 없었으니, 처리하지 않으면 위험한걸요.』

　이번에는 머리 위에 떠 있는 『천궁』에서 리스테르카의 목소리가 내려왔다.

　망연하게 서 있는 에이릴 곁에서 룩스는 기묘한 위화감을 느꼈다.

　"이 일격은 헤이즈의 《니드호그》인가……?! 아니―."

　룩스는 말하다가 멈추고 그럴 가능성은 없다며 생각을 치웠다.

　확실히 신장기룡 《니드호그》의 《절단자》는 광범위를 절단하는 신장이 맞다.

　그러나 공간까지 한꺼번에 갈라버릴 수 있는 까닭에 파괴는 깔끔한 일직선으로 이루어진다.

　그런데 이번 공격은 아니었다.

　대단히 강력한 일격인 건 확실하지만, 균열처럼 충격이 확산돼서 예배당 전체를 박살냈다.

　그리고 헤이즈는 아직 전선에서 라그나뢰크의 동향을 지켜보고 있을 터다.

　"큭……?"

　그때 룩스의 시야 구석에 무언가가 비쳤다.

　거대한 장갑을 뒤덮은 기룡사의 그림자.

　"저건― 설마……."

　어디선가 본 적 있는 칠흑빛 기룡.

그 잔상을 눈에 새긴 채 룩스는 하늘을 올려다보았다.

†

은색 문이 열리자 왕관을 쓴 은발 소녀가 고개를 들었다.

"지금 돌아왔습니다, 리스테르카 님."

"수고했어요, 미스시스. 부활한 『성식』도 무사히 쓰러뜨린 것 같아 다행이네요."

고성 위에 떠 있는 『천궁』으로 돌아가기 위해 미스시스는 육전형 《아지 다하카》가 아닌 강화형 범용기룡 《엑스 와이번》으로 바꿔서 장착하고 귀환했다.

신왕국의 잔존 전력 말살은 에이릴이 끌어들인 『성식』의 훼방 탓에 달성하지 못한 상황이었다.

"황송합니다. 하오나 『기사단』 녀석들을 놓치고 말았습니다. 상상 이상의 실력자더군요."

눈썹 하나 까딱하지 않고 포커페이스를 유지한 채 미스시스가 보고했다.

그러나 리스테르카는 기분 좋은 듯이 순백색 머리카락을 살랑살랑 흔들며 너그럽게 미소 지었다.

"어머나, 적의 명예를 존중해줄 필요는 없어요. 『열쇠 관리자』 중에서 최강의 『반기룡사』로 이름 높은 당신을 이길 수 있는 이는 애초에 이 세계에 없었으니까."

"아니요. 그 두 사람이 상처를 숨기고, 피로를 참으며 싸웠다는 점이 승리하게 된 최대의 요인입니다. 제가 만전의 상태로 《아지 다하카》를 사용한다 해도, 다음에는 이렇게 간단히 끝나진 않겠지요."

미스시스는 어디까지나 냉정하게 자기 자신을 평가했다.

결과적으로 미스시스의 압승으로 끝나기는 했지만 세리스 일행의 실력도 보통은 아니었다.

단기 결전으로 끌고 가지 않았다면 오히려 대응책을 허용했을 가능성이 있다고 시녀는 짐작하고 있었다.

"신중하군요. 하지만 제 시종으로서 더없이 믿음직스러워요. 든든하고 우수한 동생이, 조금 전에 제 곁을 떠나버린 참이니까—."

리스테르카는 어딘가 쓸쓸해 보이는 미소를 지었다.

에이릴이 반기를 들었다는 정보는 이미 미스시스에게 알려주었다.

"정말로 제2 황녀 전하를 데려오실 생각은 없으신지요?"

"그럴 여유가 있다면, 정말로 그렇게 하고 싶어요."

리스테르카는 곤란한 표정으로 한숨을 푹 쉬었다.

그녀를 전혀 모르는 사람의 눈에는 배신당했음에도 친동생을 걱정하는 언니처럼 보였을 것이다.

그러나 그녀가 꺼낸 말은 그런 혈육의 정과는 전혀 다르다는 사실을, 오랫동안 섬겨온 시녀는 알고 있었다.

"산채로 포박해서 보관해놓고 뇌사시킨 다음에, 하다못해 난자를 뽑아낼 고기 인형으로라도 활용해야 앞으로 『창조주』

에게 도움 될 테니까요. 보존된 유전자는 그 외에도 남아 있지만, 순수한 아카디아 황국의 혈통은 거의 없으니까."

"——."

피를 나눈 동생조차 황국 재건을 위한 도구로밖에 생각하지 않는 그 태도.

태연하게 말하는 리스테르카의 옆모습을 보며 미스시스는 두려움마저 느꼈다.

'하지만, 무리도 아니겠지요…….'

오랜 세월에 걸쳐 이 세계의 정점에 군림했던 일족.

그들은 붕괴의 원인이 된 『배신』이라는 행위를 무엇보다도 증오한다.

미스시스도 그건 마찬가지였기 때문에 주군의 판단에 의문을 품지 않았다.

『창조주』의 종자로서, 유일하게 『열쇠 관리자』를 지켜준 주인에게 충성을 다하도록 완벽하게 교육받았다.

자신의 감정을 억누른 강철의 시녀.

설령 에이릴이 『창조주』의 일원이라 해도, 리스테르카의 명령이라면 직접 처리할 것이다.

"하지만 조금 전 일격은, 설마—."

"아아, 내가 한 거야, 미스시스."

뒤쪽에서 기척을 느끼고 소녀는 돌아보았다.

거기에는 은발과 회색 눈동자를 가진 남자.

어딘지 모르게 거친 인상을 풍기면서도 귀족 같은 분위기가 감도는 청년, 후길 아카디아가 서 있었다.

장착하고 있던 기룡은 이미 해제했지만, 리스테르카의 지시를 따라 조금 전 예배당을 파괴한 사람은 이 남자일 것이다.

리스테르카는 황금빛 기하학적인 문양이 새겨진 전자 단말, 『왕관』을 머리에 쓰고 있었다.

『대성역』의 시스템과 더욱 강하게 연결되기 위한 보조기구이자 이 『천궁』의 조정간이다.

이곳에서 각지의 전황을 파악하며 『대성역』을 탐색하던 에이릴도 감시했지만, 역시 정신력과 체력 소모가 상당한지 그것을 벗었다.

"제가 바라는 대로 『칠용기성』이 있는 예배당을 파괴해주었군요. 수고했어요, 후길."

황녀로서의 얼굴이 아니라, 어쩐지 소녀다운 친근한 어조로 리스테르카가 치하했다.

반면에 후길은 여유로운 웃음을 머금은 채 가볍게 고개를 끄덕이며 호응했다.

"제 기사인 당신을 내보내고 싶진 않았지만, 이번에는 시간이 없었으니까요. 그래도— 상태는 아주 좋아 보이던데요?"

리스테르카는 기대를 담은 찬사를 보냈다.

그러나 후길은 씨익 웃더니 그 질문을 조용히 부정했다.

"확실히, 특수 무장의 기능은 그럭저럭 작동했습니다. 하지만 아직 완벽하다고 하긴 어렵겠군요. 가장 중요한 손맛이 없었으니까."

"어머? 후길도 참 겸손하다니까요. 그 예배당을 일격으로 파괴했으니 위력은 충분하다고 보는데요—."

리스테르카는 즐겁게 양손을 맞대고 얘기했지만 후길은 비꼬는 것처럼 애매하게 웃었다.

"격리해두는 편이 녀석들을 관리하기 쉽겠다고 생각한 게 실수— 아니, 약간의 빈틈이었다고나 할까요. 이건 룩스가 꾸민 작전이 아닐 겁니다. 그런 책략을 세울 수 있는 사람이 동생의 부하 중에 있었겠지요."

"……? 무슨 이야기인가요, 후길."

리스테르카가 고개를 갸웃하며 질문했지만 후길은 그저 웃기만 할 뿐 대답하지 않았다.

"그보다도 고성 뒤쪽으로 돌아온 룩스 아카디아 일당에게 대응해야 할 것으로 사료됩니다. 세계 연합은 이미 퇴각을 시작했으나, 어차피 거점으로 도망친들 각국 왕이 모여 있는 요새에서는 탈출할 수 없습니다. 일곱 라그나뢰크로 뭉개버릴 수 있겠지요."

그렇게 말하며 미스시스는 슬쩍 후길을 보았다.

『성식』과 전투하느라 피폐해진 자신보다도, 혹은 지금 전선에서 전황을 지켜보고 있는 헤이즈를 불러들이는 것보다도, 이 남자를 룩스 일당의 토벌에 투입해야하는 게 아닐까 생각한 것이다.

그러나 시녀의 의중은 주인인 리스테르카에게 닿지 않았다.

"후길은 저를 호위해야 하니까 보낼 수 없어요. 『용비적』잔당이 아직 고성 안에 조금 남아 있죠? 그들에게 추격을 맡기겠어요. 남아 있는 환신수도 뿔피리로 조종하고요."

"……."

의심이 많은 그녀가 후길을 절대적으로 신뢰하는 이유는, 전적으로 예전에 자신의 목숨을 구해준 적이 있기 때문이다.

『배신자 일족』들의 반역에 맞닥뜨린 리스테르카를 비롯한 황족은, 몇 명 안 되는 동료들과 함께 유적『방주』에 숨다시피 잠들었다.

그러나 시간이 흘러 적의 자손인 아카디아 제국 황족들이 그 장소를 냄새 맡았고, 침공당해서 모두 죽을 뻔한 순간에 후길이 구해주었다.

게다가 그 후에 후길은 자기 힘으로 제국을 멸망시켰으며, 지금— 그의 협력을 얻어 유적을 공략해서 여기까지 올 수 있었던 것이니까.

그것은 그 뒤에 각성한 미스시스가 자신의 주군인 소녀에게 몇 번이나 들어본 이야기다.

그래서 리스테르카는 후길을 영웅시하는 동시에 애정이나 다름없는 호의를 보내고 있었다.

미스시스는 주인의 마음에 이의를 제기할 생각은 없었다.

하지만 미스시스의 보기에, 후길은 자신들을 보고 있지 않았다.

아니— 어쩌면.

그렇게 시녀가 생각에 잠긴 직후, 『천궁』이 구동하며 천천히 하늘을 날았다.

리스테르카 방향을 보자 그녀는 다시 조작용 왕관을 쓰고 왕좌에 앉아 있었다.

"어차피 이제 룩스 일행 쪽 문제는 나중으로 돌려도 되겠지요. 『천궁』으로 그들의 요새로 가도록 해요. 각국 대표들이 모여 있는 모양이니까, 그들이 죽는 꼴을 즐기도록 합시다."

"알겠습니다."

미스시스가 고개를 끄덕이자 눈앞의 금속 벽에 빛의 창이 투영되었다.

그것은 하늘에 뜬 『천궁』의 아래— 부활한 일곱 라그나뢰크가 날뛴 흔적을 보여주었다.

색이 사라지고 잿빛으로 변한 건물의 잔해.

폐도 게르니카의 거리에 남아 있던 건조물은 무참하게 분쇄되었으며, 도시의 해묵은 상처를 도려내기라도 한 것처럼 기룡사들의 피로 물들어 있었다.

미처 도망치지 못한 반 이상의 정예부대원은 거의 목숨을 잃은 반면에, 라그나뢰크 쪽은 상처 하나 없었다.

"부활 직후라 힘이 부족하지 않을까 싶었는데, 기우였나 보네요."

"교전 상황도 크게 작용했다고 봅니다. 일곱 마리에 포위당한 상황에서 기습당했으니, 아마도 속수무책이었겠지요."

아무리 엄선한 정예라 해도 신장기룡을 갖지 못한 병사들은 기본적으로 진형을 구축해서 집단 전술을 펼치며 전투한다.

그것을 예상 밖의 기습으로 무너뜨리고 힘을 분산시키면 괴멸은 확정이나 다름없다.

"—하지만 반밖에 죽지 않은 것은 묘하군요. 도망칠 길도 없었을 텐데요."

그 압도적인 전과에도 만족하지 못했는지 리스테르카가 곤란한 것처럼 고개를 갸웃했다.

그때 왕관을 통해 헤이즈의 용성이 들려왔다.

『언니, 기분이 어떻수?』

"사망자 숫자가 부족하구나, 헤이즈. 라그나뢰크들은 아무 피해도 입지 않았는데, 저들이 무슨 수로 도망친 거니?"

『문제가 터졌어. 우리가 가장 경계하던 그 여자가 튀어나왔다고.』

"—그 여자?"

리스테르카는 『천궁』의 시각을 아래쪽에서 전방으로 돌렸다.

그리고 단 한 명의 기룡사가, 일곱 라그나뢰크 전부를 동시에 상대하는 광경을 보게 되었다.

짙은 어둠이 연상되는 장갑과 네 다리—《야토노카미》를 장착한 키리히메 요루카가 참전했다.

"과연. 기다리고 있던 게 와주었구나."

그러나 강적이 출현했음에도 불구하고 리스테르카는 미소를 머금고 그늘진 눈으로 바라보았다.

"—그녀 혼자서는 절대로 라그나뢰크를 처치할 수 없어. 이 것으로 적이 역전할 마지막 가능성도 사라졌네."

일곱 라그나뢰크를 동시에 상대 중인 요루카의 움직임은 결코 공격적이지 않았다.

잡힐 듯 말 듯한 거리를 유지하면서 자신에게 이목을 집중시키고 공격을 피하고 있었다. 그리고— 서서히 요새 쪽으로 물러났다.

라그나뢰크도 기본적으로는 환신수와 성질이 같다.

즉 동물적 본능— 가까이에 있는 사람, 자신들을 공격하는 사람을 우선적으로 노리는 법칙이 있다.

그 점을 교묘하게 이용해서 라그나뢰크를 유인하고, 500명 정도 남은 다친 기룡사들을 구해서 퇴로를 확보하는 것이었다.

적 전력을 한곳에 모아 일망타진 하겠다는 리스테르카의 계획은 요루카의 출현으로 인해 반 정도밖에 달성하지 못했다.

그래도 『창조주』의 황녀는 여유를 잃지 않았다.

"더할 나위 없이 좋은 전개구나. 『칠용기성』과 세계 연합군을 짓밟은 내 앞에 남은 최대의 위협은 그녀였으니. 헤이즈나 미스시스를 보내서 처리해도 되긴 하지만, 여기에서 확실하게 존재를 확인한 것은 큰 수확이야."

하지만— 이라고 말을 한 번 끊은 리스테르카는 고개를 갸웃하며 의문을 드러냈다.

"조금 묘하네. 그녀는 저 룩스 아카디아에게 충성을 맹세한 몸. 틀림없이 연합군 따위는 지키지 않고 곧장 주인을 궁지에서 구하러 갈 거라고 생각했는데."

그런 그녀를 막고자 고성 전방을 『천궁』에서 감시하고, 방위

용으로 헤이즈를 배치해두었다.

"확실히 그렇군요."

주군의 혼잣말에 미스시스도 고개를 끄덕이며 공감했고, 밑에서 전황을 지켜보고 있는 헤이즈가 용성으로 통신 보냈다.

『언니. 대답이라면 저기 있다고. 좀 더 앞쪽을 보셔.』

"……?"

헤이즈가 재촉하자 리스테르카는 쓰고 있던 왕관을 통해 『천궁』의 시각을 전방으로 보냈다.

현재 지점보다 좀 더 앞.

요새 앞에는 밀려오는 라그나뢰크를 긴장한 얼굴로 응시하는 은발 소녀가 있었다.

"아이리 아카디아. 왜 그녀가 저기 있지? 설마—"

『그래, 아마 간파했겠지. 「대성역」 최심부에 진입하려면 아카디아의 피를 이용한 인증이 필수니까. 저 여자도 여기까지 오면 할 수 있지. 그런데 주인을 구하러 온 것까진 좋았지만, 저년은 예상 밖의 라그나뢰크에 놀라서 또 다른 주군인 여동생을 지키기 위해 시간 벌이에 나선 거라고.』

"그녀가 섬기는 아카디아 제국의 황족. 게다가 『대성역』을 제어하기 위한 인증을 받아야 하니 반드시 지켜야만 한다— 그런 거겠구나."

리스테르카는 이해한 것처럼 싱긋 웃었다.

적이 손에 쥐고 있는 패가 전부 드러난 이상 더 두려워할 필요는 없다.

이대로 적의 핵심을 박살낸 후, 끝으로 에이릴과 룩스를 한꺼번에 처리하면 된다.

그것으로 끝이다.

이 손아귀에 다시금 세계가 돌아오게 된다.

"그렇다면— 똑똑히 깨닫게 해주자꾸나. 날파리의 반항이, 얼마나 덧없는 짓인지를."

†

"……역시 무모한 짓이었나 보네요. 적도 잠이 부족한지 예전보다는 약한 것 같습니다만— 그래도 병석에서 막 일어난 저와 같은 급이라고 할 정도는 아니군요."

공중 궁전—『천궁』에서 리스테르카가 미소 지으며 지켜보고 있는 아래쪽.

일곱 라그나뢰크가 포학하게 날뛴 흔적이 남은 전장에서 요루카는 홀로 기염을 토하고 있었다.

광범위, 고위력 파상공격을 이리저리 회피하다가 틈을 찌르는 것처럼 한 차례 공격하고 다시 거리를 벌린다.

그 행동을 반복하며 어떻게든 라그나뢰크를 유인해서 아군의 퇴각을 돕긴 했지만, 고작 3분간의 전투로 체력을 어마어마하게 소모하고 말았다.

"—샤아아아앗!"

불화살 깃털을 호우처럼 방출하는 라그나뢰크— 피닉스의

공격은 단순한 화염이 아니었다.

그 깃털이 머금은 기름은 표적에 달라붙은 뒤에 연료가 되어서 십여 분간 꺼지지 않는 불꽃을 붙였다.

화염을 뒤집어쓴 장갑 일부는 브레이크 퍼지를 사용해서 분리했다.

동시에 주위가 업화로 뒤덮인 탓에 발 디딜 곳을 확보할 수 있는 상황이 아니었다.

대량으로 발생한 연기에 중독돼서 의식을 잃은 전사자도 굴러다니고 있었다.

장갑이 해제된 병사들의 몸은 피닉스의 화염에 삼켜져 화장되었다.

완급을 조절하면서 덤벼드는 빙랑(氷狼) 펜리르는 절대영도의 숨결을 토하며 큰 동작으로 회피하도록 강제했다.

고속으로 추격타를 퍼붓는 송곳니와 발톱을 쉬지 않고 피하기란 요루카에게도 대단히 어려웠다.

게다가 무한히 재생하는 포세이돈, 주위 상황에 대응하여 끊임없이 강화하는 위그드라실, 공격반사 능력을 가진 메타트론과 공간을 장악하는 데우스 엑스 마키나, 정신오염 능력을 가진 이블리스.

계속 후퇴하며 교전을 벌이긴 했지만, 이미 《야토노카미》의 장벽은 꿰뚫린 상태였으며 장갑도 일부 파손되었다.

자신에게 이목을 집중시켜서 아군이 퇴각할 틈을 만드는 데까지는 성공했으나, 그것만으로 어떻게 할 수 있을 만큼 호락호락한 상대가 아니었다.

적에게 등을 보인 정예부대가 그 뒤를 쫓아온 라그나뢰크에게 죽어나간다.

《금주부호》를 통한 한계돌파를 사용하고 싶어도 현재 요루카의 컨디션으로는 불가능했다.

전황은 여전히 절망적이었다.

그럼에도 최선을 다해서 적의 침공을 가까스로 늦추고 있었다.

"하아…… 하아. 그나저나 놀랍군요. 주인님을 구출하기 위해서라지만, 제가 이런 일을 할 수 있다니."

압도적인 열세임에도 불구하고 요루카의 눈빛은 여전히 또렷했다.

몇 키르 뒤쪽에서는 아이리가 마른침을 삼키며 싸움을 지켜보고 있었다.

거점 요새. 그보다 조금 앞으로 나와서 살을 에는 듯한 찬바람을 온몸으로 받으며 기도하고 있었다.

"아이리 씨! 여기는 위험해요! 요새 안으로 대피하시면 안될까요?"

집사 차림의 소년, 마기알카의 보좌관 롤로트가 불러도 아이리는 움직이지 않았다.

그 대신 등을 돌린 채 온화한 목소리로 대답했다.

"걱정해주셔서 고마워요. 하지만 제가 이러고 있는 것 자체에 의미가 있는걸요. 아니, 조금이라도 오빠를 구출할 가능성이 올라간다고, 그렇게 믿으며 여기 있는 거예요. 그러니까—."

롤로트는 그 말을 듣고 깨달았다.

아이리가 굳이 요새 앞에 모습을 드러내는 행위에 확실한 목적이 있다는 것을.

"심경은 잘 알겠습니다. 하지만 곧 일곱 라그나뢰크가 들이닥칠 거예요. 7개국의 주인들을 보호하고 있는 이상, 우리는 여기서 퇴각할 수 없습니다."

즉 지금 당장 도망치지 않으면— 아니, 도망친다 해도 따라 잡혀서 몰살당하게 되리라.

그러나 그런 절망적인 전황 이야기를 듣고도 아이리는 똑바로 앞을 응시했다.

그토록 강한 요루카도 일곱 라그나뢰크 상대로는 시간벌이조차 쉽지 않았다.

그리고 그녀에게 도움 받아 간신히 목숨을 부지하고 도망치는 데 성공한 연합군 기룡사들이 필사적으로 날아오는 모습이 보였다.

"사, 살려줘! 죽기 싫어!"

"끝이야! 이제 끝장이라고오!"

"퇴, 퇴각하자! 여기서 도망쳐야 해! 어서—."

무장을 전부 내팽개치고 파손된 장갑을 덮고 있는 사람.

온몸에서 피를 흘리고 비명을 지르며 방황하는 사람.

그리고 공포에 마음이 꺾여서 흐느껴 우는 사람.

모두가 입을 모아서 절망을 이야기했다.

"—큭! 이런 상태로는, 더 이상……!"

그런 상황 속에서 《엑스 와이엄》을 장착한 묘령의 여성, 에인폴크 가문의 집사 알테리제도 거칠게 숨을 쉬며 신음했다.

"최소한, 교황 예하만큼은 지켜드려야 해. 여기서 달아나게 해드려야……!"

요새 앞에 서 있는 아이리가 그 말을 들었을 때, 머리 위에서 갑자기 목소리가 들려왔다.

"어이어이. 결전을 치르겠다고 모인 정예부대가 그러면 쓰겠어? 이 세상 끝까지 튀어봤자, 어차피 놈들은 쫓아올 거라고."

먼저 거친 말을 쓰는 남자 목소리가 들렸다.

"에인폴크 가문의 집사도 별 것 아니네? 이 정도로 우는 소리를 하다니."

이어서 어딘가 어리고 장난스럽게 들리는 소녀의 목소리.

"저게 라그나뢰크구나—. 해치울 보람이 있어 보이는걸—."

왠지 호전적이고 거만하게 느껴지는 여자 목소리.

"저건, 예전에 내가 협박했을 때랑 같은 광경. 하지만 사실은 그러기를 바라지 않았어."

억양이 없는, 하지만 강한 의지가 담긴 소녀의 목소리.

"내 말이 옳았다는 게 이제야 증명되었군. 실력 있는 기룡사야말로 세계를 통치하기에 걸맞은 자격이 있단 말이다."

거만한 조소와 함께 자신 넘치는 말이 들려왔다.

"다들 알겠지? 한 사람 당 하나씩 죽여야 하네. 중앙은 내가 지킴세. 나머지는 아까 지시한대로 전개하게나!"

목소리는 젊지만, 왠지 모르게 원숙한 말투.

그 목소리를 듣자마자 롤로트는 앞을 보았다.

정확히 요새 앞 감시탑 위— 그곳에서 일곱 명의 남녀를 확인했다.

아이리도 그걸 알아차리고 탑을 올려다보니, 그곳에는 그리운 오빠의 뒷모습이 있었다.

"많이 기다렸지. 아이리, 그리고 요루카."

"……오빠?!"

후방으로 조금 떨어진 요새 앞에 있던 아이리는 그들의 존재를 깨달았다.

적의 손아귀에 떨어진, 사로잡혔을 터인 『칠용기성』이 눈앞의 감시탑 위에 모여 있었다.

반하임 공국 대표, 그라이퍼 네스트.

유미르 교국 대표, 메르 기잘트.

헤이부르그 공화국 대표, 로자 그랑하이드.

토르키메스 연방 대표, 소피스 엑스퍼.

블랙큰드 왕국 대표, 싱글렌 쉘불릿.

마르카팔 왕국 대표, 마기알카 젠 반프리크.

그리고— 아티스마타 신왕국 대표, 룩스 아카디아.

그들은 다가오는 일곱 마리의 라그나뢰크를 향해 자신들의 기공각검을 뽑아 들었다.

"—포효를 떨치며 계승하라. 대적의 기치인 요정의 수호자

여, 《쿠엘레브레》."

먼저 그라이퍼가 앞장서서 칼자루의 트리거를 당겼다.

"―상잔하는 두 장의 부정을 몸에 두르고 소생하라. 천지를 복멸하는 전쟁의 용이여, 《드래이그 귀버》."

그리고 메르가 두 개의 기공각검을 뽑고 뒤를 이었다.

"―간악한 술책의 그을음이여, 은밀하게 스며들어 적을 치거라. 회개하지 않을 숙세의 용이여, 《고리니시체》."

로자가 오만하게 미소 지으며 거대한 진회색 용을 불러내었고.

"―불꽃에서 태어난 불길한 신. 증오와 이치를 삼키고 초월하라, 《브리트라》."

소피스의 눈앞에 나타난 울금색 기룡이 무수한 부품으로 전개되었다.

"―원초의 대해, 거세게 소용돌이치며 임계하라. 하늘에서 빛나는 신의 뜻을 따라 심판을 내리거라, 《리바이어선》."

싱글렌은 푸른 거룡을 연결하여 자신의 몸을 뒤덮는 장갑으로 만들었다.

"―인과에서 해방된 세계의 뱀이여. 신들을 해치는 성전에 임하거라, 《요르문간드》."

마기알카가 그 거대한 기룡을 전개해서 감시탑에 포진했다.

"―현현하라, 신들의 혈육을 삼키는 폭룡. 흑운으로 뒤덮인 하늘을 가르거라, 《바하무트》."

마지막으로, 룩스가 칠흑빛 거룡과 함께 대검을 들었다.

지금 이 자리에서, 세계를 지키는 최후의 요새가 재림했다.

"우, 오오오오오오옷……!"

각자 절대적인 자신감과 함께 신장기룡으로 몸을 뒤덮고 무장을 들어 올렸다.

그 모습을 본 연합군 병사들은 자기들도 모르게 감탄성을 질렀다.

"대체 어떻게 된 거죠? 왜 그들이 여기에— 아니, 어떻게 탈출한 건가요?!"

요새 앞에서 집사 롤로트가 경탄하며 옆에 있는 아이리에게 물었다.

이날 이 순간까지 롤로트는 주인인 마기알카와 연락을 할 수 없었다.

『창조주』의 포로가 되어 고성에 갇혀 있을 터인 룩스 일행에게 무슨 일이 있었단 말인가?

"우리 동료들이 잘 해주었어요. 여기에 와서, 처음에 약속한 대로."

"Yes. 대단히 힘든 일이었습니다만, 어떻게든 해냈습니다."

그리고 그 자리에 《엑스 드레이크》를 장착한 노트를 비롯해서 똑같이 강화형 범용기룡을 장착한 트라이어드가 나타났다.

"에고야~ 무서웠다니까. 하지만 이게 다 샤리스의 작전 덕분이야. 웬일로 감이 맞았다니까."

"일단 사명을 성공적으로 완수해서 안심했다고. 아이리도, 정말 고생 많았어."

티르파의 말에 고개를 끄덕이면서 샤리스는 아이리의 은발을 살며시 쓰다듬었다.

요루카 일행이 이 거점에 도착하고서 한나절 후. 바로 룩스를 구출하러 가기에 앞서 아이리 일행은 작전을 세웠다.

특장형 신장기룡인 요루카의 《야토노카미》에 탑재된 레이더로 광범위를 조사했을 때, 고성 부지 안— 예배당에 갇힌 여섯 명의 생체반응 및 십여 명의 기룡사와 몇 마리의 환신수, 그리고 세리스, 피르히를 쫓아 들어간 리샤, 크루루시퍼의 신장기룡 반응을 확인했다.

룩스의 반응이 고성에서 발견되지 않는 이상, 지하에 들어간 것은 룩스와 에이릴일 가능성이 높았다.

이미 리샤 일행이 룩스를 쫓아 『대성역』에 돌입한 이상, 그들을 뒤쫓아가봐야 제때 따라잡을 가능성은 낮았다.

그렇다면— 하고 생각한 아이리의 제안을 따라 나머지 『칠용기성』을 구출하는 작전을 결행했다.

만약 룩스 한 사람만 자유를 되찾는다 해도, 『칠용기성』이 인질로 잡혀 있다면 그 후에 전력으로 싸울 수 없다.

그런 아이리의 설득에 찬성한 요루카는 텅 빈 고성에 돌입하려고 했다.

그러나 도중에 한 가지 문제가 부상했다.

연합군을 포위하는 것처럼 나타난 일곱 라그나뢰크와 하늘에 떠 있는 『천궁』.

그리고 주위를 감시하는 헤이즈의 존재다.

그들이 룩스를 뒤쫓지 않고 대기하고 있는 것이라면 요루카 일행을 막으러 올 가능성이 컸다.

그러나 반대로 적이 가장 경계하고 있을 요루카가 모습을 드러낸다면, 적은 다른 방면에 신경을 기울이지 못할 것이라고 예상했다.

"미안하지만 요루카 아가씨, 넌 헤이즈 일당의 이목을 끌어주겠어? 그러는 김에 연합군의 퇴각도 도와줬으면 좋겠어. 우리는 적의 감시망을 우회하면서 전속력으로 고성 예배당에 잠입할 거야."

따라서 샤리스는 요루카에게 따로 행동하자고 제안했다.

"여러분이 하실 수 있겠나요? 고성에는 『용비적』 잔당 십여 명과 여러 마리의 환신수가 있답니다? 만약 복병이 나타난다면—."

생글생글 웃으며 물어보는 요루카 앞에서 샤리스는 약간 망설이며 고개를 숙였다.

하지만 이내 의연하게 고개를 들었다.

"어떻게든 할 수— 아니, 반드시 해내겠어! 우리의 목숨과 맞바꿔서라도, 『칠용기성』을 되찾겠어. 그 정도도 각오하지 않으면 여기에 온 의미가 없지!"

떨리는 주먹을 불끈 쥐고서 푸른 머리카락의 소녀가 말하자, 티르파와 녹트도 진지한 얼굴로 고개를 끄덕였다.

아이리도 심호흡을 한 번 하고서 그녀의 등을 밀어주었다.

"제 의견도 같아요. 부활한 일곱 라그나뢰크에게 포위당한 이상, 적어도 시간을 벌지 않으면 연합군도 전멸할 거예요. 설령 『칠용기성』을 구출해서 응전한다 해도, 그때까지 버티지 못한다면 끝장이에요."

"알겠사와요. 하지만 제가 주인님을 구하러 가지 않는다면, 다른 부대가 더 움직이고 있을 것이라고 적이 의심할 텐데요?"

"……윽."

요루카가 지적하자 트라이어드는 입을 다물었다.

확실히 적 역시 요루카의 성질을 잘 안다.

곧장 룩스를 구하러 가지 않는다면 지금은 무방비한 『칠용기성』의 경비를 강화하거나, 아니면 포기하고 목을 칠지도 모른다.

"—그렇다면, 제가 미끼가 되겠어요."

아이리가 조용히 손을 들었다.

옆의 녹트가 놀라서 눈을 부릅떴지만 개의치 않고 자신의 생각을 말했다.

"『대성역』을 공략하고 점령하려면 아카디아의 피가 꼭 필요한가 봐요. 그렇다면 제가 요새에서 모습을 드러내고 있으면, 요루카 씨가 라그나뢰크의 진군을 막을 이유가 될 거예요. 그러면 『창조주』들의 이목도 고정되겠죠."

리샤쪽 신장기룡 사용자 네 명을 제외하고, 적이 위협적으로 생각할 만한 존재를 일부러 전부 다 드러내자는 이야기였다.

그렇게 해야만 트라이어드가 적에게 경계망에서 벗어나 노마크 상태로 움직일 수 있을 거라고.

적도 병력을 거의 다 잃어서 다른 쪽으로 돌릴 여유가 없는 지금이기에 시도할 수 있는 책략이라고.

"아이리, 하지만 그건—"

불안한 목소리로 말리려는 녹트를 보며 아이리는 걱정을 덜어내 주려는 것처럼 미소 지었다.

"말리기 없기예요, 녹트. 지금은 모든 사람들이 터무니없는 위험을 무릅쓰고 있으니까. 그렇게 하지 않는다면, 무엇을 위해 여기에 온 것인지 알 수 없게 돼요."

"알았어. 기필코 『칠용기성』을 데리고 돌아올게. 부디 그때까지 시간을 벌어다오."

진지한 눈빛으로 주먹을 쥐는 샤리스를 보며 그곳에 모인 모든 이들이 고개를 끄덕였다.

그리고 즉시 행동에 나섰다.

요루카는 라그나뢰크 일곱 마리를 유인해서 연합군의 퇴로를 확보하는 동시에 침공을 늦추고, 그 사이에 샤리스 일행이 예배당에 잠입해서 『칠용기성』을 구조했다.

그리고 레이더로 고성 내에 숨겨둔 그들의 기공각검도 되찾는 데 성공했다.

행운의 여신이 손을 들어준 것인지 작전은 멋지게 먹혀들었다.

『칠용기성』의 구조 직후에 예배당은 파괴되었지만, 뒤쪽으로 돌아갔을 때 룩스와 에이릴과 합류.

《바하무트》의 신장을 사용해서 전원의 『쐐기』를 풀고 전속력으로 요새로 돌아왔다.

—그리고, 지금.

"이런, 이런. 아무리 저라고 해도 이젠 한계여요. 만일의 사태에 대비해서 주위를 레이더로 감시하는 게 고작이랍니다."

요새 앞으로 돌아온 요루카가 숨을 헐떡이며 중얼거렸다.

눈에 띄는 외상은 없었으나 장갑 곳곳에 생긴 균열은 그녀가 얼마나 치열한 전투를 벌였는지 말해주었다.

별 것 아니라는 듯이 해냈지만, 단순한 시간 벌이라 해도 일곱 마리의 라그나뢰크를 동시에 상대하는 것은 부담이 어마어마했을 터다.

정예 연합군이 단 10분 만에 반으로 줄어들 정도였으니, 오히려 그녀가 아니었다면 해내지 못했을 게 분명하다.

이 심각한 열세를 아이리가 재차 확인하고 있으니 옆에서 샤리스도 고개를 끄덕였다.

"우리는 여기까지야. —뒷일은 부탁한다고, 룩스 군."

"하아~ 지쳐서 꼼짝도 못하겠어. 새로운 장비도 마구 써버렸구……."

"Yes. 하지만 정신력을 소모한 보람이 있군요."

일반 범용기룡으로 전환한 트라이어드가 아이리와 함께 요새 앞에서 전황을 바라보았다.

그곳에서 겨우 3백 메르 떨어져 있는 감시탑이야말로 최후의 방어선이다.

세계의 운명을 판가름할 전투의 도화선에 불이 붙었다.

✝

"핫, 쓰러뜨릴 수 있을 것 같냐? 막 깨어난 참이라 상태가 완벽하진 않아도 그것들은 명색이 라그나뢰크라고. 네놈들 같은 오합지졸이 모인다고 당해낼 수 있을 줄 알아!"

고성 앞에 나와 있는 인물은 《드레이크》를 장착한 은발『창조주』— 헤이즈다.

《니드호그》의 조정은 끝났지만, 그것을 동원해서 전력을 다해 전투를 벌이면 겨우 두 번 만에 과도한 부하가 걸려 숨이 끊어지게 된다.

그래서 지금까지 부담이 적은 범용기룡인 《드레이크》를 장착하고 전황을 감시하고 있었다.

『천궁』에서 리스테르카의 지시는 내려오지 않았다.

미스시스는 『성식』을 격파하느라 소모되었고, 후길은 리스테르카를 호위하고 있다.

그리고 리스테르카는 『대성역』 시스템에 간섭하느라 여력이 없다.

따라서 지금 『창조주』 진영의 핵심 전력은 라그나뢰크뿐이다.

우선 다리가 빠른 빙랑 펜리르가 빙 돌아서 요새 쪽으로 이동하며 동결 브레스를 토해냈다.

"으, 아아악?!"

"큭—!"

미처 도망가지 못한 연합군— 정예 기룡사 부대 중 하나.

그들을 지휘 중이던 알테리제가 고통스럽게 신음했다.

그러나 그 눈앞을 가로막은 한 기의 육전형 기룡이 얼음을 순식간에 녹여냈다.

"—한심하기는. 당신도 유미르 교국 출신이라면 이까짓 추위 쯤 아무렇지도 않을 거 아냐?"

"메르 기잘트!"

알테리제가 무심결에 소리치자 백금색 머리카락을 쓸어올리며 메르가 미소 지었다.

그 장난기 가득한 시선을 빙랑 쪽으로 돌리고 《드래이그 귀버》의 할버드를 들었다.

"하지만 뭐, 나를 만나다니 운이 다했구나. 내 이명은 『정벌자』— 환신수는 살려두지 않겠어."

"크, 르르르르르르……!"

사납게 으르렁거리며 달려드는 거대한 빙랑.

메르의 신장기룡 《드래이그 귀버》는 열을 조종하는 《상극의 천리》^{시프트}라는 신장을 보유하고 있다.

따라서 절대영도의 숨결을 토하는 펜리르와의 상성은 대단히 뛰어나다.

게다가 《드래이그 귀버》는 육전형에서 비행형으로 변형하는 기능도 갖추고 있다.

전황에 따라서 자유롭게 전투 스타일을 변경하는 것은 천

재적인 센스를 가진 메르의 진면목이다.

"으르릉…… 크라아아아앗!"

펜리르도 단순한 동결 공격은 메르에게 통하지 않는다는 것을 파악했는지 거대한 발톱과 송곳니를 동원해서 공격했다.

그리고 지상전은 불리하다고 판단한 메르는 《드레이그 귀버》를 와이번 모드로 변형했다.

폭발적인 속도로 날아올라 펜리르의 등을 노리고 반격했다.

—그곳에서 3백 메르 정도 옆으로 떨어진 지점.

거의 폐허로 변한 복잡한 미로 같은 골목.

무수한 촉수를 가진 무한히 재생하는 라그나뢰크— 포세이돈과 로자 그랑하이드의 전투가 전개 중이었다.

로자는 진회색 육전형 신장기룡 《고리니시체》를 조종해서 후퇴하며 교전 중이었다.

땅속에서 튀어나와 달라붙는 무수한 촉수는 한 번 붙잡히는 순간 연속으로 달려들기 때문에 감당할 수 없게 된다.

따라서 골목을 누비듯이 달리며 대낫 형태 무장인 용각곡인을 휘둘러서 후속 공격을 막아내고 있었다.

『안타깝구나 로자. 네년의 능력 정도로는 그놈을 쓰러뜨릴 수 없다고?』

원거리에서 《드레이크》를 장착하고 감시 중인 헤이즈의 야유가 날아왔다.

하지만 로자는 오만한 미소를 머금은 채 동요하지 않았다.

한때 헤이부르그의 군사로 활동한 헤이즈는 로자의 존재를 알고 있었다.

헤이즈와 사업상 파트너였던 『악한 왕』— 카렌시아의 부하로 알게 되었었고, 더욱이 그녀의 본질은 그저 협박에 못 이겨 강자를 연기하는 겁쟁이일 뿐이라는 이야기도 것도 들었다.

『길러주던 주인이 죽어도 연기는 못 그만두겠나 보군? 아무리 잔학한 거짓 인격을 강압에 못 이겨 연기했다 해도, 네년이 악행에 가담했다는 사실과 죄는 사라지지 않아. 그 얄팍하고 나약해빠진 마음도 바꿀 수 없단 말이다!』

"……"

『그 형편없는 몰락 왕자를 배신하고 한 번 더 우리 쪽에 붙겠다면 목숨만은 살려줄 수 있다만?』

전력으로 싸울 수 있는 횟수가 정해져 있는 헤이즈는 정신 공격으로 로자를 동요시켜서 조종 실수를 유발하려고 했다.

그 계략이 잘 먹혔는지— 아니면 포세이돈의 힘이 이긴 것인지, 막다른 골목에 몰린 로자가 마침내 무수한 촉수에 사로잡혔다.

『햐하핫! 대답도 안 나오는 거냐! 어차피 네년은 누군가가 써주지 않으면— 암시로 자기 자신을 제어하지 못하면, 제대로 싸우지도 못하는 반푼이라고!』

헤이즈의 폭언이 계속해서 로자에게 꽂혔다.

그러나 로자는 그저 낙담한 듯한 미소를 머금고 눈을 감은 채 중얼거렸다.

"―가여운 여자 같으니―. 너야말로 『창조주』라는 이름과 역사를 빌리지 않으면 아무 것도 못 하는 거 아냐? 죽을 때까지 그런 식으로 살 셈인가―?"

『뭣……?!』

그 말을 듣고 헤이즈의 목소리가 거칠어졌다.

"정말이지 창피하네―. 처지가 뒤집혀보니까, 그때 내가 얼마나 비참했는지 처음으로 알겠더라. 누군가가 시키는 대로 움직이며 현실에서 눈을 돌리고, 몽상 속에 있는 강한 내 모습으로 도망치던 모습이 말이야."

어딘가 자조하는 것처럼 로자는 담담하게 말을 자아냈다.

『네년과 나를 동일시하려는 거냐?』

"아무리 그래도 그건 아니지―. 과거의 어리석은 행동을 부정할 생각은 없지만, 죽어도 고쳐지지 않는 바보보다는 낫다고―. 네가 이 세계의 모든 인간을 괴롭히려고 하는 건, 전부 다 엉뚱한 화풀이일 뿐이잖아?"

『이년이―.』

"소피스라는 애한테 들었어. 황족인 『창조주』― 너희는 수백 년 전 과거에 반역 당했고, 세계의 지배자 자리에서 떠밀리게 되었지. 마음을 지탱해주던 긍지를 빼앗겨서, 지금 이 세계와 인간이 증오스러워서 못 견딜 지경이지?"

포세이돈의 촉수가 조이는 힘이 강해지고, 로자의 몸을 뒤덮은 장갑이 으직거리는 소리를 내며 균열이 일어났다.

죽음을 눈앞에 둔 절체절명의 궁지 상황.

그런데도 소녀는 당당하게 웃었다.

"두 번 다시 너희랑 손잡고 싶진 않다고―. 아무리 허세를 부리든 힘을 휘두르든, 너는 그런 행동으로밖에 자신을 표현할 수 없어. 그런 어린애 밑에서 일하고 싶은 사람은 세상에 단 한 명도 없을걸."

『……그렇다면, 그대로 죽어! 포세이돈의 밥이 돼서 폐도에서 뒈져버려!』

"미안하지만, 그것도 사양하겠어."

로자가 즉답한 순간 촉수가 장갑을 분쇄했다.

그러나 그 직후 기룡을 장착하고 있던 로자 본인의 모습이 사라지고, 장갑이 안쪽에서부터 폭발했다.

『――?!』

그 광경을 본 헤이즈는 깨달았다.

지금까지 촉수에 붙잡혀 있던 로자는 《고리니시체》의 특수 무장인 무인 장갑기룡 《열두 개의 감옥》.
_{테일즈 바이스}

그리고 환영을 생성하는 특수 무장 《위조 섬영》을 조합해서 의태시킨 디코이였다는 사실을.
_{신 팬텀}

"부아아아아……!"

디코이를 붙잡고 있던 무수한 촉수는 뜨겁게 달아오른 장갑의 산탄을 뒤집어쓰고 비명을 질렀다.

그와 동시에 가까운 폐허 그늘에서 진짜 로자가 모습을 드러내더니, 대형 사이즈를 내리그어 돌바닥 위에 날을 박았다.

"부브아앗?!"

"역시 거기가 본체인가─? 재생 스피드가 본체에서 가까우면 가까울수록 빠르다고 들었는데. 땅속에 계속 숨은 채였다니─ 나랑 비슷한 족속인 모양이네─."

어딘지 모르게 비아냥거리는 듯한 로자의 웃음.

그러나 공격을 늦추지는 않았다.

"헤이즈. 네 말처럼 의태는 내 특기가 맞아─. 하지만 그건, 더 이상 이 인격에 죄를 전가하기 위한 것도, 도망치기 위한 것도 아니지."

『…….』

로자가 기공각검에 손을 대고 남은 열 기의 《테일즈 바이스》를 추가로 불러냈다.

그것이 분해, 연결되어 하나로 합쳐지더니 순식간에 모습이 변했다.

《고리니시체》의 신장, 《연옥기구》가 진가를 발휘하려는 순간이었다.

"《연옥기구》·일제 포격 형태."
<small>타르타로스 프레임　　래피드 파이어 모드</small>

무수한 캐논, 브레스 건 등의 포구를 전면에 내세운 이질적인 형태.

공격 특화 요새로 모습이 바뀌었다.

"나를 나로서 계속 짊어지기 위해서라고─. 카렌시아에게 협박당한 탓에 만들어졌다 해도, 내 일부분인 것은 틀림없으니까─. 그러니까─."

헤이부르그의 『악한 왕』.

자신을 세뇌했던 지배자를 위해서가 아니라, 자기 자신을 위해서 이 가면을 쓴다.

　위험하고 난폭하며 오만한 실력자, 로자 그랑하이드의 인격을 덧쓴다.

　"지금은 나와 룩스 님을 위해서, 너를 쓰러뜨리겠어—."

†

　"그런, 설마…… 어째서, 이런 상황이."

　『칠용기성』VS 일곱『종언신수』.

　상공에 떠 있는 백은의 공중 궁전—『천궁』에서 그 구도를 관망하며『창조주』리스테르카 레이 아샤리아는 정색하고 중얼거렸다.

　인간으로 변신하는 새도라는 환신수를 각국에 투입해서 백성들을 선동하고 지배자들을 몰아붙였다.

　적의 잔존전력인 정예부대까지 꺼내들게 해서 함정에 빠뜨렸다.

　그리고『칠용기성』을 인질로 붙잡고 세뇌해서 부하로 만들 예정이었다.

　에이릴과 함께 룩스를 이용해서『대성역』을 공략할 예정이었다.

　그 계략은 보기 좋게 먹혀들었고, 모든 것이 잘 풀려가고 있었다. 그래— 중간까지는.

"고작 일곱 명이, 어떻게 저 많은 라그나뢰크를 상대할 수 있는 거죠? 그런 건, 우리 시대에도 불가능했는데."

동요만큼은 드러내지 않았지만 의문은 확실하게 생겨났다.

아무리 신장기룡 사용자일지라도, 애초에 라그나뢰크는 홀로 쓰러뜨릴 수 있는 존재가 아니다.

실제로 연합군 정예 기룡사들은, 비록 기습공격을 하긴 했지만 어렵지 않게 격파했다.

"……."

옆에 물러나 있는 시녀 미스시스는 그 원인이 무엇인지 짐작되었다.

조금 전 세리스와 피르히를 상대하면서 이해한 차였다.

"그들을 얕보았기 때문이겠지요."

같은 방에서 대기 중이던 후길이 타이르는 듯한 미소를 떠올리며 입을 열었다.

"라그나뢰크는 분명 강대하지만, 그 능력은 지금까지의 유적 공략 때문에 분열되고 말았습니다. 게다가 막 각성한 참이라 약화되었으니— 아니."

거기서 한 번 말을 끊으며 후길은 리스테르카 쪽으로 돌아섰다.

"단순히 그들의 실력이 더 뛰어나기 때문입니다. 당신이 살았던 시대와는 달라요. 과정은 다를지언정 그들은 그들 나름대로 실력을 길렀습니다."

"에이릴이…… 그 애만 배신하지 않았다면, 결과는 달라졌을 거예요."

구시대에 절대적 지배자로 군림했던 리스테르카는 그 사실을 인정하고 싶지 않은 것처럼 씁쓸하게 중얼거렸다.

그러나 후길은 변함없이 웃는 얼굴로 담담하게 말했다.

"아뇨, 당신은 그녀의 행동조차 읽고 있었습니다. 반역을 꾀하던 제2 황녀는 당신의 책략에 빠져 세계 연합의 적으로 인식되었습니다. 이제 『창조주』를 위해서 살아가는 것 외의 길은 없어야 했지요. 그런데 그 명운이, 이렇게 뒤집힌 이유는—."

"……룩스 아카디아. 그가 에이릴 황녀 전하를 회유한 것이 원인. 그렇게 생각하면 되겠습니까?"

미스시스가 묻자 후길은 조용히 고개를 저었다.

"그건 아닐걸. 그 어리석은 아우는 에이릴 황녀 전하의 정체를 몰랐어. 회유 자체를 할 방법이 없지. 요컨대— 영웅의 소질이 있었던 거라고. 적진에 몸을 둔 사람조차 그 남자 편에 서고 싶다는 생각을 품게 할 정도의 자질을, 녀석은 갖고 있었지."

"영……웅……?"

금속 벽에 비친 하계의 광경을 바라보며 리스테르카는 중얼거렸다.

잠시 말을 잃고 멍하니 있던 그녀는, 이내 고개를 저은 후 조용히 미소 지었다.

"저는 인정할 수 없어요. 제게 영웅은 후길 한 사람 뿐. 저 『배신자 일족』 따위에게 질 수는 없어요. 그렇다면—."

리스테르카는 옥좌에 앉은 채 『왕관』— 단자와 무수한 철선으로 연결된 발신 장치를 머리에 썼다.

　『대성역』의 시스템에 다시 개입하더라도 라그나뢰크를 능가하는 전력은 불러낼 수 없고, 『성식』만큼은 조종이 불가능하다.

　그렇다면—.

　『헤이즈, 시간을 벌어보려무나! 네가 싸울 수 있는 것은 앞으로 두 번이 한계야. 그중 한 번의 기회를 여기서 주겠어. 나도 슬슬 진심으로 나서야겠구나.』

　"헛……?! 리스테르카 님, 설마—?!"

　그 말을 들은 미스시스의 표정이 바뀌었다.

　지금 사용 가능한 『대성역』의 비장의 수단.

　그것으로 짐작 가는 바가 있었다.

　"참으셔야 합니다! 그것을 사용하면 막 쓰러뜨린 『성식』을 자극하게 될지도 모릅니다. 아니— 제어하에 있는 다른 라그나뢰크가 구별능력을 잃고 우리까지 공격하게 될 가능성이 있습니다!"

　"그게, 뭐 어떻다는 거죠?"

　"……."

　무구한 미소를 띤 리스테르카를 보며 미스시스는 말문이 막혔다.

　"저렴하지 않나요? 위험을 조금 감수하는 정도로 우리는 승리를 거머쥘 수 있어요. 농락당하며 손도 발도 놀리지 못했던 그때와 비교하면 멋지다는 생각이 들 정도로 희망적이죠."

『세례』를 받은 붉은 홍채가 불타는 것처럼 형형하게 빛났다.

그녀 자신도 지금까지 신체에 상당한 부담을 받았을 테지만 여기서 단숨에 승부를 낼 생각인 것이리라.

미스시스는 즉시 후길 쪽으로 돌아서서 시선으로 호소했다.

그가 대신 리스테르카를 말려주지 않을까 기대했지만, 남자는 침착하고 여유로운 미소를 지으며 주인의 등을 떠밀었다.

"그것이야말로 황국의 계보를 잇는 자의 자세입니다. 어리석은 아우에게는 큰 결함이 있지요. 그것은 옳다는 사실을 알면서도 단죄하지 못하는 나약함입니다. 그러나 당신에게는 자신의 정의를 위해서 철퇴를 내려칠 각오가 있습니다."

"네. 당신 앞에서 증명해보이겠어요. 제 그릇 쪽이 뛰어나다는 사실을―."

후길의 목소리에 대답한 순간, 단말인 『왕관』을 쓴 리스테르카의 몸이 연하게 빛났다.

다음 순간, 땅속에 잠든 『대성역』이 크게 진동하면서 어떤 지령 하나가 해방되었다.

†

"그억! 으그그어억……?!"

"……무슨 일이 일어난 거지? 이건―?"

리스테르카가 『대성역』의 시스템을 기동한 직후, 소피스가 상대하고 있던 대악마 라그나뢰크― 이블리스에게 갑자기 이

변이 일어났다.

자신의 몸을 감싼 신장기룡《브리트라》— 궤도를 제어하는 신장《바람의 위광》의 힘으로 적의 능력인 정신오염의 빛과 음파를 회피하던 소피스는 그 변화를 보고 경악했다.

대악마의 어깨부터 등에 걸친 근육이 날개와 함께 솟아오르고 턱이 빠지기라도 한 것처럼 활짝 벌어졌다.

눈구멍에서 튀어나오는 게 아닐까 싶을 정도로 부풀어 오른 눈알이 소피스의 움직임을 재빠르게 포착했다.

"─부아아아아아아앗!"

"거짓말……. 조금 전에 난 소리는 설마, 『광월의 종』?!"

소피스가 짧게 숨을 들이마신 찰나, 노도와 같은 질풍이 불어 닥쳤다.

옆에서 날아오는 우람한 팔을 장벽으로 받아냈지만 그대로 뚫려버렸다.

"크, 윽……!"

반사적으로 공격을 막은 왼팔 장갑이 충격을 전부 흡수하지 못하고 프레임이 우그러지며 삐걱대는 소리를 냈다.

맞고 날아가는 관성으로 거리를 벌리면서 자세를 가다듬을 여유도 없었다.

눈으로 좇지 못할 빠르기로 쏟아지는 후속 난타를 워 해머로 간신히 방어했다.

《바람의 위광》의 궤도 제어 능력으로 회피하고 싶었지만 그럴 수는 없었다.

공격 방법이 바뀐 것이 아니라 모든 공격이 일격필살로 변했을 뿐이었다.

즉 이블리스의 주력 기술인 정신오염 음파와 광선도 여전히 번갈아 발동 중인 상태였다.

"무슨 짓이지. 『광월의 종』을, 이 국면에서 사용하다니……."

저번에 유적 『달』에서 그것을 위협 수단으로 내세운 소피스는 안다.

"유적을 통해서 발령하는, 최종 코드……. 주위의 환신수나 라그나뢰크에 명령해서, 핵 내부에 깃든 엘릭시르를 전신으로 퍼뜨리는 폭주 형태. 그 끝에 수명이 다하게 되지만, 그때까지 수십 분간 폭발적인 힘을 갖게 돼— 아윽!"

과거의 지식을 곱씹어볼 짬도 없었다.

신장을 이용해서 유리한 고지를 점할 수 없는 이상, 이 강화에 의한 성능 차이를 메우기란 불가능하다.

약화된 상태라면 턱걸이로 상대할 수 있어도, 이미 일반적인 라그나뢰크보다 강해지고 말았다.

『—호오, 그런 원리였는가? 이놈들이 팔팔해진 것이.』

"으……?!"

갑자기 들려온 용성에 소피스는 경계했다. 그러나 이내 그 목소리의 주인이 『칠용기성』 대장 마기알카임을 깨달았다.

그녀의 전장인 요새 앞 감시탑 옥상은 소피스가 있는 위치에서 뒤로 수백 메르 가량 떨어져 있다.

거기에서 무지막지한 업화가 소용돌이치고 있었다.

마기알카가 상대하는 적은 라그나뢰크 피닉스.

특수한 기름을 머금은 깃털에 불을 붙이고 꺼지지 않는 불꽃 화살을 끝없이 쏘아대는 성가시기 그지없는 존재라고, 『달』의 데이터베이스를 통해서 알고 있었다.

그것을 상대하는 마기알카가 장착한 것은 특장형 신장기룡 《요르문간드》.

그것 자체가 한 요새가 연상될 정도로 거대하지만, 한 번 전개하면 설치한 위치에서 움직이지 못하는 결점이 있다.

그 대신 신장기룡 중에서도 파격적인 공격력과 방어력을 자랑한다. 그리고 다종다양한 무장을 탑재한 일곱 개의 장갑팔이 있기 때문에, 사용할 수 있는 상황 자체는 한정적이어도 상당히 강력한 성능을 보이는 기룡이다.

그러나…….

『가세하러 가고 싶지만, 지금은 나도 버거워. 다른 사람에게 도와달라고 해.』

소피스가 즉각 그렇게 대답한 이유는 마기알카가 명백하게 열세라고 판단했기 때문이다.

감시탑 옥상에 포진한 《요르문간드》는 상공에서 일방적으로 공격할 수 있는 피닉스에겐 좋은 표적이다.

마기알카는 자신에게 쏟아지는 무수한 불화살을 하울링 로어로 날리고, 이어서 팔로 뿌리쳤다.

그러나 모든 불화살을 막아내진 못했기 때문에 감시탑 옥상 자체가 타오르고 있었다.

《요르문간드》도 캐논이나 브레스 건을 내장한 장갑팔로 반격했다. 그러나 아무리 그 위력이 일반적인 무장보다 월등히 뛰어나다 해도, 상대해야 하는 적은 비행형 라그나뢰크.

탄막으로는 거의 피해를 줄 수 없었으며, 캐논은 쏘는 족족 피하는 탓에 치명상을 가하지 못했다.

머지않아 감시탑 자체가 불길에 뒤덮이고 마기알카가 탈출하려고 장갑을 해제하는 순간, 피닉스가 급강하 일격으로 목을 가져갈 것이다.

그런 이미지가, 순간적으로 소피스의 뇌리에 그려졌다.

하지만 그럼에도 불구하고 돌아오는 목소리에는 여유로운 기색이 서려 있었다.

『그대 같은 풋내기가 나를 걱정하려 들다니 10년은 이르구먼. 그보다도 조심하시게. 드디어 녀석이 움직이기 시작했으니.』

"큭―?!"

소피스가 고개를 든 순간 한 그림자가 시야에 들어왔다.

검붉은 가지와 뿌리로 뒤덮인 이질적인 장갑기룡이, 포효처럼 맹렬하게 돌진하며 요새로 육박하고 있었다.

†

"캬하하하하핫! 드디어 내 차례가 왔다고! 네놈 새끼들에게 복수할 순간이 왔단 말이다아아!"

희열을 품은 째지는 목소리로 소리치며 헤이즈는 신장기룡

《니드호그》를 움직였다.

리스테르카가 내린 지시.

『칠용기성』과 일곱 라그나뢰크가 균형을 이루는 사이 후방 요새를 습격해서 각국 지배자들을 섬멸하라는 명령을 수행하기 위해서 일직선으로 하늘을 날았다.

두 번째 『세례』를 통해 부활한 육체는 헤이즈의 흉맹한 정신에도 강한 영향을 미쳐서 공격적인 일면이 고스란히 드러나 있었다.

따라서 최단 최선.

어떠한 망설임도 자비심도 없이 적을 살육하기 위하여 악룡의 신장을 기동했다.

자루 양끝에서 칼날이 뻗어 나온 무장— 양익인검.
<small>투 블레이디드 소드</small>

이질적인 무기가 신장의 빛과 함께 회전하더니 그 끝에서 빛의 참격이 사출되었다.

"—《절단자》!"
<small>아스트랄 라인</small>

공간 자체를 절단하는 방어를 무시하는 일섬.

노호와 함께 필살검을 휘두른 순간, 그 검광이 살짝 어긋났다.

"우아아아아아악?!"

요새로 퇴각한 기룡사 몇 명이 파괴의 여파로 비명을 질렀다.

그러나—.

"언니, 이건 무슨 수작이지? 손목에 문제라도 생기셨나? 우리의 적은 바로 밑에 있을 텐데?"

헤이즈가 짜증 섞인 눈빛으로 흘겨보았다.

그쪽에는 지금 공격이 빗나간 원인이 있었다.

신장기룡 《자하크》를 착용한 기룡사. 자신과 같은 색 머리 카락과 눈동자를 가진 소녀— 제2 황녀 에이릴.

손에 든 채찍형 특수 무장을 《니드호그》의 장갑팔에 감고 당겨서 공격을 빗나가게 했다.

"……."

"핫. 결국 저 가짜 왕자한테 홀딱 넘어가다니. 『창조주』의 책무도 다하지 않고, 양쪽 모두 배신한 네가 하고 싶은 건 뭘까? 말로는 표현 못 할 만큼 꼬라지가 형편없네."

"그래. 네 말이 맞을지도 몰라."

헤이즈의 도발에도 동요하지 않고 에이릴은 처연하게 미소 지었다.

"세계 연합을 배신하고, 지금까지 인식 조작으로 사람들을 속여 온 내가 그들에게 인정받을 수 있을 거라곤 생각하지 않아. 설령 이 상황에서 그들을 구한다 해도 날 받아주진 않겠지. 나는— 세계의 모든 것을 적으로 돌리고 말았어."

"그래서, 어차피 다 조진 거 날 상대하러 오셨다?『창조주』의 일원에 걸맞지 않은 꼬락서니로군!"

헤이즈가 조소하며 《니드호그》로 활공했다.

오른팔에 얽힌 《블레이즈 윕》을 풀지 않고 일부러 그대로 앞으로 나갔다.

투 블레이디드 소드가 가로로 회전하자 《절단자》가 발동했다.

"큭……?!"

본디 채찍이라는 무기는 일단 무언가에 얽힌 뒤에 손놀림으로 조작해서 다시 풀기가 어렵다.

그러나 에이릴은 정신조작을 통해 말단까지 조종할 수 있는 특수 무장의 성능을 활용해서 가까스로 그것을 풀고 회피했다.

"그렇다면 봐줄 필요는 없겠지. 조금 전 리스테르카 언니가 지시했거든. 배신자를 처단하라고!"

두 눈을 부릅뜬 헤이즈가 무장을 앞으로 내뻗고 돌격했다.

그렇게 자매의 목숨을 건 치열한 골육상쟁의 막이 올라갔다.

†

"코랄…… 저런 데서 뭘 하려는 거지? 설마 그럴까 싶지만, 또 배신하진 않겠지?"

강습한 헤이즈를 상공에서 막아내는 에이릴.

그 아래쪽에서 반하임 공국의 『칠용기성』 그라이퍼는 라그나뢰크 메타트론과 교전 중이었다.

공격 반사 능력으로 절대적인 방어력을 자랑하는 거대한 구체형 라그나뢰크.

그라이퍼는 무수한 안구에서 방사되는 열선을 피하며 방어 일색으로 몰리는 중이었다.

"─이이이, 이이이이이이이이이!"

원래대로라면 《쿠엘레브레》의 신장인 절대무적 상태─《광자잠행》과 상성이 좋은 만큼 호각으로 싸울 수 있는 상대건만, 지금은 리스테르카가 사용한 『광월의 종』의 효과로 폭주 중인 탓에 그 파괴력이 대폭 증가했다.

"……쯧! 이 자식을 상대하는 것만 해도 빡센데, 답이 없구만!"

에이릴은 트라이어드가 구출한 『칠용기성』의 『쐐기』를 룩스와 함께 풀어주었지만, 시간이 촉박한 탓에 거의 아무 설명도 못 들은 채 헤어지고 말았다.

따라서 아직 에이릴의 진의는 알지 못했다.

룩스는 에이릴에 대해서 「그녀는 적이 아니다」라고 했지만—.

"칫!"

그라이퍼는 혀를 차면서 메타트론을 향해 돌격했다.

《광자잠행》을 펼쳐서 적의 공격 반사 능력을 무시할 수 있는 상태로 연속 공격을 퍼붓는 전법.

그러나 그 공격은 강화된 라그나뢰크의 방어를 돌파하지 못한 채 무적화의 지속시간이 끝나 튕겨나가고 말았다.

단단하고 두꺼운 라그나뢰크를 파괴할 일격필살의 파괴력이 부족했다.

"—아니군. 위쪽에 있는 『창조주』 두 사람은 서로 싸우기 시작한 모양이다. 역시 내 예상이 옳았어."

조금 떨어진 위치에서 싱글렌의 목소리가 들려오자 그라이퍼는 그쪽을 슬쩍 보면서 되물었다.

"뭐라고? 어떻게 된 거야?"

신장 《광자잠행》의 무적화 능력 덕분에 방어에 전념하고 있는 동안에는 그럭저럭 대화할 만한 여유가 있었다.

한편 싱글렌은 폭주상태의 라그나뢰크— 데우스 엑스 마키나를 상대로 호각 이상으로 싸우고 있었지만, 아무래도 공간 장악 능력을 가진 적이다 보니 쉽게 결정타를 가하지 못하는 듯했다.

"저 몰락 왕자가 제2 황녀의 농락에 성공했다는 이야기다. 저 남자를 회유하는 건 실패했지만, 결국 이상적으로 흘러가는군. 원래부터 저 녀석이 『영웅』으로 움직이게 할 생각이었으니까."

짙은 파란색 기룡— 《리바이어선》을 착용한 싱글렌이 수류의 참격을 날리면서 오만하게 웃었다.

"댁이 옛날에 우리한테 얘기한 기룡사들이 주도하는 지배체제를 만들기 위해서— 인가? 거 참 너무 억지 부리는 거 아뇨? 이럴 때 말하는 것도 그렇지만."

때마침 메타트론이 일시적으로 거리를 벌렸기 때문에 그라이퍼는 그렇게 지적했다.

예전에 싱글렌은 유적에서 얻은 기술과 유산을 둔 다툼을 막고, 각국의 정부 대신에 기룡사들이 주도하는 새로운 지배체제를 만들겠다고 했다.

결국 그때는 그 말이 진심인지 아닌지조차 알 수 없었다.

그러나 룩스가 앞으로 벌어질 전투에서 중핵이 될 것이라고 판단하고, 휘하에 끌어들이기 위해서 집요하게 노려온 것은 분명하다.

'······하지만, 결국 부대장 나리의 진의는 여전히 불명이란 말이지.'

미심쩍어하는 표정으로 그라이퍼는 다시 메타트론과 대치했다.

더 이상 싱글렌에게 한눈 팔 여유는 없었다.

안구에서 끊임없이 방사되는 열선을 힘겹게 방어하며 기사회생의 일격을 날릴 기회를 노렸다.

"곧 알게 될 거다. 왜 내가 그 녀석을 영웅으로 내세우려 하는지. 그 끝에 무슨 일이 일어날지. 그때까지 네가 살아 있다면 말이다."

"핫! 격려 한 번 끝내주는구만. 그렇다면— 한 번 해보실까."

일점돌파의 공격력을 가지지 못한 그라이퍼의 《쿠엘레브레》가 저 라그나뢰크를 쓰러뜨릴 방법은 단 하나. 자폭에 가까운 위험한 도박이지만, 그것 말고는 승기가 없었다.

"나는 무모한 도전을 즐기는 주의라고. 부대장 나리, 이까짓 고난으로 내가 죽을 거라고 생각하지 마쇼."

반하임 공국의 『칠용기성』 보좌관으로 곁에 있었던 코랄.

그녀— 『창조주』의 제2 황녀 에이릴에 대한 감정도 지금은 한쪽에 치워두었다.

"간단한 이야기야. 네놈들에게 실컷 당하기만 하다가 죽어줄 순 없다 이거지. 그러니까 너도 죽지 마라, 코랄."

거친 목소리로 그런 말을 내뱉은 후, 그라이퍼는 재차 라그나뢰크와 대치했다.

그리고 폭풍 같은 열선 속으로 다시 한 번 뛰어들었다.

†

"그, 오오오오오오오오옷!"

"─크……! 하아, 하아……."

끊임없이 육박하는 가지와 뿌리의 공격을 방어하며 룩스는 거칠게 숨을 몰아쉬었다.

룩스가 상대 중인 적은 거목 라그나뢰크 위그드라실.

그 특수능력은─ 적응 강화.

상대의 공격에 내성을 얻고 상대의 능력을 상회하는 쪽으로 성장, 진화하는 힘이다.

예전에 접전을 벌인 끝에 한 번 격파한 상대이지만, 그때나 지금이나 성가시기 그지없는 적이었다.

그때 헤이즈가 한 것처럼 수백 마리의 환신수를 먹여서 강화시킨 것은 아니었으나, 리스테르카가 사용한 『광월의 종』의 효과로 폭주한 탓에 대처할 수 없는 상황으로 몰리고 있었다.

신속제어, 강제초과, 영구연환.
(퀵 드로우) (리코일 버스트) (엔드 액션)

이미 삼대 오의를 다 사용했지만 돌파구를 열지 못했다.

조율을 응용한 오의─ 싱글렌의 전진을 사용할 수도 있지만, 무수한 가지가 사방에서 날아드는 상황에서는 오히려 빈틈을 공격당할지도 모른다.

무엇보다도 지금까지 연전을 치르면서 누적된 피로가 룩스의 머리에서 사고력마저 앗아가고 있었다.

그러나 이 정도로 우는 소리를 낼 수는 없었다.

에이릴은 『창조주』의 보금자리를 버렸을 뿐만 아니라, 이제는 세계 연합에도 받아들여지지 못할 가능성이 크다는 것을 알면서도 룩스 일행에게 협력하기로 마음먹었다.

게다가 자신을 구출하기 위해서 사력을 다해준 『기사단』 멤버들을 위해서라도 여기서 패배할 수는 없었다.

위그드라실이 되살아난 탓에 다시 피르히에게 악영향이 미칠 수도 있었다.

무엇보다도 후방 요새에는 퇴각한 병사들과 아이리가 있었다.

그리고 불현듯 룩스의 시야 구석에─ 맑게 갠 창궁에 떠오른 배가 눈에 들어왔다.

『창조주』들의 성, 『천궁』이라고 불리는 백은의 공중 궁전이.

'그곳에 있는 거냐? 후길.'

에이릴은 『창조주』로서 자신의 신념을 위해 싸운다고 말했다.

그렇다면 룩스는 어떨까?

여기서 부활한 라그나뢰크를 쓰러뜨리고 『대성역』을 차지해서 『성식』을 멈춘다고 하자.

그것으로 세계는 확실히 구원받을지도 모른다. 그러나 그것과 룩스의 바람이 같은 것일까?

『칠용기성』이 되어 신왕국에 다시 관여하기 시작했고, 새로운 체제를 지키는 측에 서게 되었다.

신뢰할 수 있는 동료와 후원자를 얻고 힘을 길렀다.

자신은 그 정도로 만족할 수 있는가? 아니— 아니다.

『무의미하단 말이다. 룩스. 자신의 의지로『악』을 실천할 각오를 하지 않은 자 따위는, 아무도 희생시키지 못하는 자 따위는, 그 얼마나 강대한 힘을 지닌들 아무런 의미가 없다. 그래서 너는 최약인 거다.』

피바다에 잠긴 구제국 왕성의 옥좌 앞에서 쓰러진 룩스를 내려다보는 차가운 형의 시선.

구제국 측 사람들이 몰살당한 그날의 광경이 지금도 뇌리에 선명하게 박혀 있었다.

세계를 지배하려고 하는『창조주』일족.

하지만 에이릴은, 목숨을 걸고 룩스 일행을 구하려고 했다.

"그렇다면— 나는 틀리지 않았어!"

설령 어떤 위험을 무릅쓰게 되더라도, 예전에 **적이었던** 에이릴을 구해주고 싶었다.

그렇게 각오를 다지고 머리 위를 올려다보는 동시에, 룩스는 용성으로 그녀에게 어떤 작전을 보냈다.

†

"겨우 그 정도냐고, 언니! 이 이상 우리를 실망시키지 말란 말이다—!"

위그드라실의 공격에 수세에 몰린 룩스의 머리 위.

헤이즈의 《니드호그》와 에이릴의 《자하크》는 여전히 사투를 벌이고 있었다.

특수 무장 투 블레이디드 소드에서 방출되는 《니드호그》의 신장 《절단자》는 광범위를 공간과 함께 찢어발기는 능력이다.

신장이 갈라버린 절단면은 공간 자체가 차단돼서 간섭할 수 없게 된다.

상대의 공격을 막는 벽인 동시에 상대가 이동할 곳을 제한하고 몰아붙이는 수단이 된다.

그리고 에이릴은 헤이즈가 『칠용기성』을 공격하는 것을 막기 위해서, 다시 적의 장갑팔에 휘감은 《블레이즈 윕》을 풀 수 없었다.

무기 하나가 봉인된 탓에 열세를 강제당하는 상황이었다.

에이릴은 비어있는 왼손으로 블레이드를 필사적으로 휘둘렀지만, 그 장갑에서 뻗어 나온 검붉은 가지가 모든 공격을 차단했다.

"—큭, 장갑에 위그드라실의 씨앗을 심었어? 그 상태로 싸우면 오래는 못 버틸 텐데?!"

"위협하고 싶으면 좀 더 효과적인 방식으로 하시지? 아니면 넘어가달라고 애원하는 건가? 정말 형편없는 년이로군! 『창조주』를 위해서 죽는다면 바라는 바야!"

"……우앗!"

위그드라실에 기생당해 《B-blood 니드호그》로 변한 장갑에서 가지처럼 생긴 창이 튀어나왔다.

그것에 직격당한 에이릴의 블레이드가 부러졌고, 다시 가지가 그녀를 휘감으며 조이기 시작했다.

"네년이야말로 쓸데없는 데 힘을 쓸 여유가 있냐? 아까부터 가짜 왕자를 감싸는 데 신장을 쓰는 것 같던데, 어설퍼! 그 자식은 어디 있지? 어디에 숨겨졌냐고?!"

"큭, 아아아악……?!"

에이릴이 고통스러운 비명을 지르는 동시에 헤이즈가 내려다보고 있던 아래쪽 폐허에서 룩스의 모습이 떠올랐다.

에이릴은 밑에서 싸우고 있는 룩스를 지키기 위해 《자하크》의 신장 《쌍두의 사지》를 사용해서 그 존재 자체를 헤이즈의 기억에서 지우고 있었다.

그리고 그것은 지금 해제되었다.

"크크큭. 꼴좋네. 이제 한계냐? 저 하찮은 가짜 왕자에게 홀린 여자라니. 꼴불견이 따로 없군."

"……."

반면에 에이릴은 고통스러운 건지 눈살을 찌푸린 채 아무 말도 하지 않았다.

이미 에이릴은 헤이즈의 《절단자》가 만들어낸 공간의 절단면에 포위당한 탓에 꼼짝도 할 수 없는 상황이었다.

"저런 쓰레기 같은 남자한테 반한 시점에서 네 운은 끝났어. 하지만 언니는 관대한 처분을 내려주겠다고 했지. 잘 들으라고."

위그드라실의 가지에 붙잡혀서 옴짝달싹 못하는 에이릴에게 칼끝을 들이대며 헤이즈는 비웃었다.

그러자 『천궁』에서 나온 리스테르카의 목소리가 헤이즈와 에이릴 주위에 내려왔다.

『에이릴……. 이제 만족했니? 네 마음은 잘 알았어. 저 요새에 있는 무리는 별개지만, 그들을 일방적으로 지배하진 않을게. 그러니 이제 반항을 그만두고 내게 돌아오지 않겠니?』

얌전하고도 따스한 음성.

리스테르카는 애정이 묻어나는 달콤한 말을 여동생에게 속삭였다.

『네가 이 세계의 백성과 접촉하고 그들의 마음을 이해한 끝에 그런 말을 하는 거라면, 최대한 존중해주고 싶어. 아니면, 친언니인 나를 못 믿겠다는 거니?』

이 지경에 이르러서 에이릴을 회유하려고 하는 리스테르카.

『칠용기성』은 열세였으며, 에이릴 자신에게도 더는 몸 둘 곳이 남아 있지 않았다.

『아무에게도 인정받지 못하는 싸움 따위를 계속해봐야 무슨 의미가 있겠어? 네게는 아직 「창조주」로서 살아가는 길이 남아 있단다. 지금 내 곁으로 돌아온다면, 룩스 아카디아만은 특별히 살려줄게.』

"……."

리스테르카는 최대한의 양보를 계속해서 제시했다.

헤이즈가 반사적으로 불쾌한 표정을 보이고, 짧은 침묵이 흘렀다.

"『창조주』로서 살아가는 길, 말이지······."

장갑과 신체를 한꺼번에 구속당한 에이릴은 한숨 섞인 목소리로 말했다.

어딘가 체념한 듯한 분위기를 풍기며 하늘에 떠 있는 『천궁』을 쳐다보았다.

"······으."

그 이야기를 들으며 교전 중인 룩스는 아무 말도 하지 않았다.

리스테르카의 유혹이 함정이라고 생각하지만, 그 사실을 증명할 수단은 없었으니까.

현실 시간으로는 고작 몇 초—.

룩스가 체감하기로는 몇 분 동안 망설인 끝에 에이릴이 고개를 들고 입을 열었다.

팔다리를 구속당하고 도망칠 곳도 없는 절체절명의 상황.

그런 와중에 룩스와 자신만은 살려주겠다는 은사가 내려왔지만, 에이릴은 조용히 고개를 가로저었다.

"아니야. 언니, 헤이즈. 애초에 그런 태도 자체가 잘못된 거라고."

에이릴은 왠지 모르게 쓸쓸하게 느껴지는 애달픈 표정으로 허공을 올려다보았다.

"우리 『창조주』는 왜 쇠퇴했을까? 어째서 『배신자 일족』의 반역으로 봉인당한 걸까? 잘 알 거야. 그건 『열쇠 관리자』의 기술력과 유적의 힘으로 세계를 지배하려고 했기 때문이지.

억지로 모든 사람들을 억압했기 때문이라고."

"……핫! 뭔 헛소리를 하려나 싶었더니, 그게 뭐가 나쁜데? 힘을 가진 우수한 종족이 나머지를 다스리는 건 당연하다고!"

헤이즈가 흉악하게 웃으면서 잡아먹을 기세로 소리쳤다.

그러나 에이릴은 어딘가 공허하게 느껴지는 웃음을 쭉 유지했다.

"그래, 모두들 당연하다고 생각했지. 우수하니까, 선택받은 일족이니까 누구에게 어떤 짓을 해도 괜찮다고. 그 오만함이 우리를 멸망시킨 거야. 알고 있었어. 그날, 우리가 수백 년의 잠에 빠지기 전에, 나는 깨달았으면서도 애써 외면했다고."

『……난감하구나, 에이릴. 비천한 족속들과 어울리는 사이에 영혼의 고결함을 잃어버리다니―.』

"언니야말로, 아무 것도 몰라. 『창조주』와 유적은, 이제 이 시대에는 필요 없어. 그러니 『성식』과 함께 『대성역』을 파괴하고 모든 유적을 봉인할 거야. 그게 내 소망이야."

『이룰 수 있을 거라고 생각하니? 인간이 얼마나 탐욕스러운 생물인지, 모른다고 할 순 없을 텐데?』

질린 듯한 리스테르카의 한숨.

그러나 에이릴은 쑥스러운 듯이 웃으며 룩스를 보았다.

"알아. 하지만 나는 잘못되지 않았어. 이 세계의 사람과 서로 이해할 수 없을 거라고? 그렇지 않아. 아니―."

에이릴은 크게 심호흡을 하고서 『천궁』을 똑바로 노려보았다.

"어떤 고난을 겪게 될지라도, 우리는 그것을 해내야만 해.

그러니까, 싸우겠어!"

『…….』

에이릴의 확고한 의사표시.

그것을 받아들인 리스테르카가 숨을 삼키는 소리가 들렸다.

『그러. 나도 아직 멀었구나.』

순간, 에이릴의 의견을 인정한 듯한 온화한 목소리가 돌아왔다.

하지만 그 직후, 치사량의 맹독을 머금은 시꺼먼 목소리가 그 자리를 가득 채웠다.

『『창조주』의 수장으로서, 너 같은 실패작의 존재를 허용하고 말다니―.』

"……윽?!"

"그렇다고 하는군, 언니. 『대성역』을 선보이게 되는 날까지는 함께 하고 싶었는데, 여기서 죽어! 잘 가라고!"

헤이즈가 기세를 올리며 《니드호그》의 투 블레이디드 소드를 높이 처들었다.

그 장갑팔에 얽혀 있던 《자하크》의 《블레이즈 윕》은 끊어진 지 오래였고, 공간 절단면으로 된 벽이 사방을 막고 있어서 이동할 수도 없었다.

그러나 절체절명에 놓인 에이릴은 우아하게 웃고 있었다.

"―기다렸어, 헤이즈. 그 한마디와 일격을."

"뭐?"

절대적인 공격력을 자랑하는 《절단자》의 참격.

공간 절단면에 갇혀 움직일 수 없을 터인 에이릴이 한 절단면을 투과해서 빠져 나갔다.

그 직후— 헤이즈가 휘두른 일섬이 아무 것도 없는 대지를 두 개로 쪼갰다.

"……이럴 수가?! 어떻게 절단한 공간의 벽을 통과할 수 있는 거지?!"

《절단자》로 만들어낸 공간 절단면은 일정 이상 만들어내면 먼저 생긴 절단면부터 자동적으로 소멸하긴 하지만, 그 이외의 수단으로 돌파하는 것은 불가능할 터다.

피르히의 《티폰》 등으로 신장 무효화를 사용했다면 몰라도 그런 일이 일어난 낌새는 없었다.

"방심했구나, 헤이즈. 내가 《자하크》의 신장을 해제한 건 룩스 군을 감쌀 여력이 바닥났기 때문이 아니야. 네 기억을 빼앗는 쪽으로 작전을 변경했기 때문이지. 네가 《절단자》를 일정 이상 사용해서 나를 에워싼 절단면의 벽이 하나 사라진 기억을 《쌍두의 사지》로 잊게 한 거라고."

"뭐……!"

그 대답을 듣고 헤이즈도 깨달았다.

에이릴 주위의 공간을 종횡무진 절단해서 가두는 데 성공했다고 생각했지만 그것은 착각이었다.

사실 에이릴은 절단면을 통과한 게 아니다.

헤이즈가 사라진 절단면의 기억이 봉인돼서 깨닫지 못했을 뿐이다.

"이 책략을 제시한 건 룩스 군이야. 위그드라실과 싸우느라 한순간도 긴장을 늦출 수 없는 와중에 나를 구하기 위해서 가르쳐주었지."

"……큭! 그래서 뭐 어쩌라고! 제대로 된 무장도 안 남은 주제에! 네년이 이몸의 《B-blood 니드호그》를 이길 수 있을 것 같아—!"

버럭 소리지르는 헤이즈의 머리 장갑이 빛나더니 어마어마한 충격파가 소용돌이 쳤다.

"—기룡포효!"
<small>하울링 로어</small>

최대출력의 파동을 해방하려는 찰나, 헤이즈의 장갑을 강화해서 뒤덮고 있던 위그드라실의 가지가 느슨해지더니 일제히 풀렸다.

"아닛?!"

《니드호그》 본체 자체가 분해된 것은 아니었지만 강화력이 대폭 약해졌다.

그것을 본 에이릴은 반파된 《블레이즈 윕》을 휘둘러서 헤이즈를 칭칭 감아 구속했다.

"눈치 못 챘어? 난 공간 절단면을 《쌍두의 사지》로 잊게 하고, 그 다음에는 다른 것을 네 기억에서 지웠어. 그건—"

"그, 갸아아아아아아아악……!"

그 말에 이끌려서 아래를 본 헤이즈의 핏발 선 눈에, 거의 두 조각으로 갈라진 채 기괴한 절규를 질러대는 위그드라실의 모습이 보였다.

"룩스 군이 유인해주었지. 위그드라실의 기억을 빼앗긴 네가 《절단자》의 참격을 날리는 순간 쉽게 명중할 수 있는 위치에 오게끔 말이야."

"말도 안 돼! 그런, 그런 것까지……?!"

지금 룩스에게는 부활해서 폭주 상태에 빠진 위그드라실을 쓰러뜨릴 힘이 없었다.

그러나 아무리 무한히 강화되는 괴물이라 해도, 공간과 함께 핵이 절단되면 버텨낼 재간이 없다.

따라서— 《자하크》의 신장과 그 위치를 고려해서 전술을 세운 룩스는 궁지를 호기로 바꾸었다.

"그리고 헤이즈. 지금 내게도 너를 끝내버릴 힘은 없어. 그러니까 그에게 맡길 거야. 마침 나도 위그드라실을 섬멸하는 데 힘을 빌려준 참이니까."

"—응. 내게 맡겨, 에이릴."

핵이 파괴되어 단말마의 절규를 지르는 위그드라실 앞에서 룩스가 호흡을 가다듬었다.

《블레이즈 웝》으로 헤이즈를 감아 구속한 채 잡아당기며 에이릴의 《자하크》가 급강하한다.

지면에 내팽개쳐지는 듯한 기세로 헤이즈가 눈앞에 온 순간 룩스는 신장을 발동했다.

리로드 온 파이어
"—《폭식》."

기룡을 장착한 헤이즈와 위그드라실이 정확히 이웃하는 타이밍에 룩스를 중심으로 반경 십여 메르 영역에 신장이 발동

됐다.

시간의 압축강화를 통해 한없이 길어진 시간 속에서.

룩스는 무방비한 두 존재에 소나기 같은 참격을 퍼부었다.

†

『정벌자』라는 이명을 가진 메르와 거대 라그나뢰크, 빙랑 펜리르의 사투.

룩스 일행의 전투가 한창 막바지에 접어들었을 때 이쪽도 결판이 나려 하고 있었다.

"쿠오오오오오오……!"

『광월의 종』으로 흉폭해진 빙랑 펜리르는 압도적인 동결능력을 활용해서 전신에 얼음 갑주를 두른 모습으로 변했다.

얼음 칼날을 이용한 신속한 연격을 전부 피하지 못하고, 메르의 《드래이그 귀버》에 무수한 흠집이 생겼다.

"귀찮아라. 적은 갑옷과 무기를 끝없이 만들어낼 수 있어. 적의 모든 얼음을 계속 녹이려고 하면 내 체력이 못 버틸 거야."

주위의 기온이 빙점 밑으로 내려가 숨결마저 얼어붙었다.

메르의 기룡이 온도를 조종하는 《드래이그 귀버》가 아니었다면 훨씬 일찌감치 당했을지도 모른다.

'그리고 와이번 모드로 변형할 수 있는 가변형이라는 것도 다행이네.'

만약 육전형 모드로 싸웠다면, 아마도 발 디딜 곳이 얼어붙어서 제대로 움직이지도 못했으리라.

최악의 사태를 피한 것을 생각하면 아직 메르에게도 운이 따르는 모양이었다.

"크르르르르악!"

펜리르가 얼음 갑옷을 두른 상태에서 휘두르는 앞다리나 송곳니의 일격을 방어하는 것만으로도 버거웠다.

강화된 공방 능력은 대단히 성가셨으며, 메르가 가진 할버드로는 돌파할 수 없었다.

《드래이그 귀버》의 무장 중에서는 특수 무장 《지쇄각탄》^{그라운드 버스터}이 가장 강력하지만, 그것조차도 일격으로는 빙랑의 살점을 도려 내는 정도에 그칠 것이다.

원래 《그라운드 버스터》는 지형을 바꿀 정도의 폭발적인 위력을 자랑한다. 그러나 연사할 수 없는 데다, 펜리르는 얼음 갑주로 그것마저 막아낼 터였다.

"진짜 귀찮네. 전에 싸웠을 때보다도 훨씬. 하지만—."

심호흡을 한 번 하고서 메르는 당당하게 미소 지었다.

"저 크루루시퍼에 비하면 뭐, 별 것도 아니야. 그렇게까지 뛰어난 전술을 구사하는 것도 아닌걸. 너는—."

"으르르…… 크아아아아아아앗?!"

어딘가 깔보는 듯한 메르의 말에 반응해서 빙랑은 격분한 것처럼 달려들었다.

그러나 도약하려고 몸을 확 숙인 찰나, 지면이 무너지면서 펜리르는 땅속 깊이 꺼지고 말았다.

"눈치 못 챘어? 미리 지면의 수분을 응결시켜 얼음을 만들고, 그것을 기화시키면 공간이 생기거든— 네가 들어갈 수 있을 만한 구덩이를 만드는 건 쉽지 않았지만 말이야."

메르는 트릭을 공개하면서 《상극의 천리》의 능력인 온도 조작으로 구덩이에 빠진 펜리르의 머리 위에 얼음 덮개를 덮었다.

펜리르는 무지막지한 동결 능력을 가졌지만, 반대로 해동은 할 수 없다.

하지만 그럼에도 불구하고 펜리르는 라그나뢰크가 가진 압도적인 완력으로 얼음을 억지로 부수고 돌파하려고 했다.

"으르르, 크아아악……!"

우직우직, 얼음 덮개에 균열이 생기더니 순식간에 얼굴을 내밀었다.

그러나 그때 메르는 이미 구덩이에 빠진 펜리르의 머리 위에서 《그라운드 버스터》 발사 준비를 마친 뒤였다.

"특별히 가르쳐줄게. 넌 이미 졌어. 그 구덩이에는 틈을 봐서 얼려둔 《그라운드 버스터》를 열 발 정도 묻어두었거든. 그러니까—"

활성화된 《그라운드 버스터》를 한 발이라도 발사하면 그 충격으로 얼려둔 나머지 탄도 모조리 유폭, 원래의 열 배나 되는 위력을 단번에 퍼부을 수 있다.

"—그, 우오오오오아아아아……!"

메르가 최후의 일격을 발사한 직후, 구덩이를 중심으로 일어난 폭열과 충격이 지형 째로 폐허를 박살냈다.

펜리르가 뒤덮은 얼음 갑주를 쉽사리 깨부수고, 두꺼운 모피와 살을 날려버렸다.

"아, 카, 악……!"

펜리르는 균열이 생긴 핵이 노출되었음에도 계속해서 기어 올라오려고 했지만 그 육체는 이미 무너져 내리기 시작했다.

"대단하구나. 그만한 공격을 받았는데도 일어설 수 있다니."

메르는 숨을 몰아쉬면서도, 강한 눈빛으로 보며 말했다.

"하지만— 이제 알았겠지? 생각하고 싸우는 인간이, 가장 강한 법이라구. 전설의 괴물 씨."

강화된 라그나뢰크마저 단기간에 뛰어넘은 소녀는 중얼거렸다.

최연소 기룡사로서 또다시 한층 더 강해졌음을 실감하며, 다음번에야말로 크루루시퍼에게도 이겨보고 싶었다.

그런 만감을 담아서 꺼내든 캐논을 아래를 향해 겨냥했다.

†

계속해서 메르가 있는 위치에서 3백 메르 정도 옆으로 떨어진 지점.

반하임 공국 『칠용기성』그라이퍼 VS 거대한 구체형 라그나뢰크 메타트론의 대결도 끝을 앞두고 있었다.

"거 참 끈질기네. 이 망할 눈깔자식."

메타트론의 공격방법은 안구에서 발사하는 열선 뿐.

그리고 공격을 반사하는 특수 능력 말고는 날개를 완만하게 움직이는 정도다.

하지만 단순한 만큼 확실한 공략법이 떠오르지 않았다.

룩스가 《폭식》으로 시간을 연장해서 찰나나 다름없는 반사 타이밍을 파고들어 격파했다는 것은 그라이퍼도 알고 있다.

그러나 그렇게 하려면 적이 공격을 반사하는 찰나의 공백에, 일격으로 핵까지 닿는 위력을 내야만 한다.

《용미연검》은 도신이 여러 조각의 철편으로 나뉘어서 움직이며 신축성 있는 채찍 같은 궤도를 그리는 특수 무장인데, 자유롭게 변환하는 대신에 위력이 약한 것이 흠이다.

생명력도 강화된 라그나뢰크의 살을 찢고 핵까지 파괴하는 것은 도저히 불가능했다.

"제법이잖아. 이런 말도 안 되는 난제를 들이밀고 말이야!"

반항적으로 웃으면서 그라이퍼는 메타트론의 열선을 흘려 넘겼다.

무적화 신장 《광자잠행》을 사용하면 여유롭게 회피할 수 있지만, 적이 패턴을 파악하지 못하게 하려고 횟수를 줄였다.

그래서 수십 줄기의 열선이 장벽을 관통하고 튼튼한 《쿠엘레브레》의 장갑을 조금씩 녹이고 있었다.

그라이퍼 본인도 열선의 여파 때문에 군데군데 얼얼한 화상을 입었다.

혼자만의 고독한 싸움.

폐도 게르니카의 잿빛 건물을 보다 보면 그라이퍼는 자신이 태어나고 자란 거리가 떠올랐다.

사관의 아들로 태어났지만 아버지가 오명을 뒤집어쓰고 가문이 몰락한 기억.

어렸을 적부터 뒷골목을 방황하고, 들개처럼 살았던 나날.

장갑기룡 적성도 전혀 없어서 차세대 사관이 되는 길마저 막혔었다.

그럼에도 저항하고, 단념하지 않고, 우직할 정도로 훈련에 몰두했다.

우연히 도적에게 빼앗은 중고 장갑기룡을 피를 토하면서 계속 탔다.

어느 날 밤 기묘한 소녀가 눈앞에 나타났고, 그 이후로 완벽하게 다룰 수 있게 되었다.

그런 노력이 공녀 밀미에트의 눈에 띄어 거두어졌고, 다시금 기사로서의 운명을 되찾게 되었다.

"―마음에 안 든다고. 이런 놈을 투입하면, 어차피 우리가 못 이길 거라고 생각하는 『창조주』의 태도가 말이다."

업신여겨지는 것도, 가볍게 여겨지는 것도, 괜찮았다.

그러나 무시당하는 것만큼은 참을 수 없었다.

자진해서 가혹한 운명에 도전하고, 상처를 입고 발버둥 치더라도 살아남는 것이야말로 생물의 본능.

따라서 그라이퍼는 모든 불가능에 도전하고 극복하는 『탐랑』이라고 불리며 주위의 경외를 받아왔다.

과거에 있었던 일 따위는 신경 쓰지 않는 자신에게 남은 유일한 걸림돌은 룩스라는 존재.

그라이퍼의 부친이 실각하는 원인이 된 구제국 황제의 자식이지만, 그 해묵은 감정은 깔끔하게 사라지게 되었다.

룩스는 구제국에서 가장 끝자락을 차지하는 황족이었으며, 무엇보다도 불가능하다고 불리는 역경 속에서 저항해온 것은 자신만이 아님을 그라이퍼는 깨달았기 때문이다.

"그렇다면, 나도 질수야 없지—."

눈을 번득 빛내면서 그라이퍼가 메타트론을 노려보았다.

사방이 건물에 막혀서 도망칠 곳이 없는 상황. 머리 위에서 메타트론이 강하하고, 열선을 퍼붓기 위해 커다란 눈을 부릅떴다.

"몰아넣었다고 생각하지? 하지만 실제로는 반대란 말이다!"

그라이퍼는 입꼬리를 씨익 올리며 머리 위로 돌진.

전신을 나선형으로 비틀면서 《테일 블레이드》를 찔러 올렸다.

동시에 적이 쏘아낸 레이저를 회피하면서 에너지를 머금은 칼날을 그 안구에 찔러 넣었다.

"—이이이이이이이이이이."

참격의 위력을 흡수하고 몇 배로 반사하는 메타트론.

하지만 그 순간, 그라이퍼는 《쿠엘레브레》의 신장을 기동했다.

"그걸 기다렸다고— 《광자잠행(포톤 다이브)》!"

모든 공격을 튕겨내는 무적화 신장. 하지만 평소와 튕겨내는 방향이 달랐다.

솟구치는 빛의 방어막은 바로 위— 즉 몇 배로 강화돼서 돌아온 그라이퍼의 참격을 고스란히 메타트론에게 돌려주었다.

따라서 적이 반사공격을 펼쳐서 무방비해진 순간에 검이 박혔다.

"기, 이이이이이이이이이이이이익!"

바늘구멍을 통과하는 것처럼 정밀한 일섬이 핵에 닿자 메타트론이 째지는 소리로 비명을 터뜨렸다.

그 상처에서 피 같은 체액을 분출하면서 몸 전체가 부슬부슬 붕괴하기 시작했다.

"일점집중, 그리고 일격이란 말이지. 확실하게 배웠다고."

그라이퍼의 가장 무서운 장점은 어떠한 사선에서도 빠져나와 생환한다는 것.

그리고 다시 전장에 섬으로써 강해지는 것이다.

패배해도 살아남아서 예전 이상의 힘을 습득하고 재기한다.

그라이퍼는 크루루시퍼에게 패배한 원인인 정밀사격 기술마저 체득하고, 이 상황에서 응용하여 멋지게 적을 쓰러뜨렸다.

†

그리고 마기알카가 전투 중인 요새 앞 감시탑.

그 수백 메르 정도 앞쪽에서는 두 전투가 동시에 진행되고 있었다.

오른쪽에 위치한 것이 헤이부르그 공화국의 로자 그랑하이드.

왼쪽에서 버티는 것이 토르키메스 연방의 소피스 엑스퍼.

겨우 몇 분도 안 지났지만, 폭주 강화된 라그나뢰크를 상대로 한순간도 긴장을 늦출 수 없는 사투를 벌이고 있었다.

대악마 이블리스의 음파와 빛을 이용한 세뇌는 궤도 제어 신장으로 막아냈지만, 순수한 육탄전에서는 밀렸기 때문에 수세에 몰린 소피스는 방어에 급급했다.

"……아이러니하네. 원래는 라그나뢰크를 관리해야 하는 『열쇠 관리자』가, 이런 처지에 놓이다니— 아악!"

호흡이 흐트러진 채 무표정하게 투덜대는 소피스의 눈앞까지 이블리스가 접근해서 두꺼운 팔로 후려쳤다.

가까스로 뒤로 물러나며 위력을 줄였지만, 그럼에도 《브리트라》의 프레임이 찌그러질 정도로 충격이 강했다.

"투덜거릴 여유가 있으면 싸워. 벅찬 건 나도 마찬가지니까—."

한편 초반에는 우세를 점하던 로자는 그 후에 폭주한 포세이돈에게 고전하는 중이었다.

무한히 재생하는 생명력으로 촉수를 더욱 늘려서 끝없는 전투로 끌어들이고 있었다.

조금 전처럼 집중포화를 퍼부어도 **맞으면서 재생할 정도였다.**

그래도 로자에게는 아직 적을 쓰러뜨릴 수단이 딱 하나 남아 있었지만, 실행하기 위한 카드가 부족했다.

미끼 무인기룡인 《테일즈 바이스》로 아무리 교란해봤자 무수한 촉수가 동시에 달려들어 움직임을 봉쇄했다.

"너무 쉽게 생각한 걸까……."

양동을 위한 무인기룡이 하나둘 촉수에 묶여 부서지고 시시각각 궁지에 몰리고 있었다.

"오랜만에 맛보는걸—. 이런 기분은."

절체절명의 상황에서 로자는 진땀을 흘리면서도 웃음을 떠올렸다.

『궁지에 몰렸을 때일수록 약한 모습을 보이지 마.』

자신을 지배했던 『악한 왕』 카렌시아는 로자를 그렇게 가르쳤다.

자신을 무적이라고 믿고, 강자의 가면을 뒤집어쓰고 있으면, 아무 것도 두렵지 않았다.

절대자의 지배를 받아들이고, 자신을 껍데기 속으로 밀어넣는 것이, 얼마나 편한지.

그것이— 얼마나 무서운 일인지.

자기 머리로는 생각하지 않고, 그저 준비된 악역을 연기했다.

지금까지 계속 불행을 맛보아온 로자에게 그것은 구원이었지만, 끝내 모든 죄를 뒤집어쓰고 도마뱀 꼬리 신세가 되었다.

'하지만 그 사람이, 내 껍데기를 부숴주었어.'

룩스는 자신을 지배하려 하는 대신에 평범하게 살게 해주었다.

로자의 가면에서 악역 이외의 모습을 보려고 해주었다.

그렇다면 지금은 그의 은의에 보답하는 것이 자신의 본분이다. 그렇게 생각하고 기세를 올리려고 했을 때, 뒤쪽에서 목소리가 들려왔다.

"당신 이야기는 마기알카한테 들었어. 나처럼, 룩스에게 구원받았다지. 그렇다는 건, 사실상 친구— 일지도?"

로자 뒤에 등을 맞대고 선 것은 신장기룡 《브리트라》를 장착한 소피스 엑스퍼였다.

이블리스를 상대하면서 수십 메르 정도 밀려난 탓이었다.

"잡담을 꺼내다니 여유로운걸—? 지금은 바쁘니까 나중에 해줄 수 없을까—."

로자는 아니꼬운 말투로 대답했다.

소피스는 기본적으로 무표정한 탓에 무슨 생각을 하는지 알 수 없다. 그래서 로자도 그런 소피스를 상당히 이상한 소녀라고 생각했다.

"우리, 이대로라면 당할 거야. 여기서 지면, 꼴사납다고 생각하지 않아?"

"……."

평소처럼 날이 선 태도로 받아치려 했던 로자는 진지한 소피스의 목소리를 듣고 숨을 삼켰다.

"우리 둘 다 룩스에게 당한 사이. 되갚아줘야 하는…… 윽?!"

대화 도중에 이블리스가 토해낸 업화에 휘말려 소피스는 뒤로 휙 물러났다.

이제는 장갑의 내구력, 자신의 체력을 소모해서 느긋하게 상담하고 있을 짬조차 없었다.

로자에게는 남을 믿는다는 마음이 없었지만, 지금은 상황이 상황이니만큼 하는 수 없었다.

룩스의 설득에 뜻을 굽히고 『칠용기성』으로 돌아온 그 마음만은 이해할 수 있었으니까.

"그래서, 어떻게 할 건데—? 이쪽도 시간이 없다고."

"당신의 신장기룡의 능력이 뭔지 알아. 화력이 부족하다면, 한계까지 끌어올리면 돼. 그러기 위한 재료는 이미 모아두었어."

"——."

소피스의 말을 듣고 로자는 주위를 둘러보았다.

부서진 폐허의 잔해와 돌바닥에 파묻히고 사방에 흩어져 있었을 터인 어떤 물건들이 주위에 밀집해 있었다.

언뜻 보기에 그것은 잡동사니와 다를 게 없었지만 로자에게는 의미가 달랐다.

지금까지 라그나뢰크 포세이돈의 촉수에 쫓기느라 간과했는데, 확실히 이길 수 있는 조건이 갖춰져 있었다.

아니, 아마도 소피스가 싸우는 짬짬이 준비해두었을 것이다.

"그때까지 시간은 내가 벌겠어. 그러니, 빠르게 부탁할게."

"……핫, OK라고—. 우리도 멋진 모습을, 보여줘야 하니까."

그것을 본 로자는 입가를 느슨하게 풀면서 자연스럽게 고개를 끄덕였다.

그리고 소피스는 기공각검을 뽑아 높이 올리며 소리쳤다.

"—완전결합 · 개시."

장착한 《브리트라》가 격렬하게 발광하며 진동했다.

분해된 극소 기계가 맨몸과 결합, 동화되었다.

소피스의 갈색 피부에 은색 선이 그려지고 눈동자가 빛을 발했다.

"부아아아아아……!"

그 직후, 땅울림 같은 포효와 함께 포세이돈의 촉수가 땅에서 기어 나왔다.

"—《바람의 위광》!"
_{마하무라나}

그러나 그 순간 소피스는《브리트라》의 신장을 발동.

궤도 제어 능력으로 촉수의 움직임을 조종해서 근처에 있던 대악마 이블리스의 신체에 칭칭 감기게 했다.

"부아아아아아아앗!"

움직임을 봉쇄당하고 강하게 조여진 이블리스가 멈춰서서 발버둥 쳤다.

원래대로라면 정신오염 음파와 광선을 막기 위해 그것들의 궤도를 조종해서 피해야만 하지만—.

"역시…… 예상대로야. 제아무리 이블리스라 해도 공격받는 동안에는 정신오염의 힘도 약해져. 이제 남은 것은—."

소피스가 그렇게 안도한 것도 잠시, 구속한 포세이돈의 촉수가 이블리스의 힘 앞에 찢겨나갔다.

"너무 쉽게, 생각한 걸까……."

이마에 땀이 맺힌 소피스가 이탈하려는 찰나 찢겨나간 촉수가 순식간에 원래대로 연결되었다.

"—윽?!"

상상을 초월하는 재생능력에 소피스가 눈을 부릅떴을 때 이블리스가 포효를 터뜨렸다.

정신을 오염시키는 괴음파. 로자가 영향 받는 것을 막기 위해서 궤도 제어로 진동을 빗나가게 했다. 그러나 그 대신에 소피스는 포세이돈의 촉수에 붙잡히게 되었고, 그 상태로 이

블리스의 맹렬한 연타를 얻어맞았다.

"커, 헉……?!"

최대출력의 장벽이 뚫리고, 촉수 위로 두꺼운 팔로 휘두르는 펀치가 꽂힌다.

《브리트라》와 『완전결합』으로 일체화했기 때문에 장갑에서 전달되는 충격이 뼈까지 닿았다.

그 위력이 너무나도 강력해서 일격이 꽂힐 때마다 의식이 흔들렸다.

'위험해……. 이대로라면 죽어. 이젠 10초도 못 버티겠어.'

장갑이 우그러지고 소피스의 표정이 고통으로 일그러졌다.

그러나 바로 그때, 갑자기 나타난 거대한 그림자가 이블리스의 전신을 뒤쪽에서 붙잡았다.

"부아아앗?!"

가옥 몇 채를 합친 것보다 큰 부피를 자랑하는 악마를 장갑 팔 하나로 움켜쥘 수 있을 정도의 거구.

피어오른 분진이 걷히면서 드러난 것은, 초거대 기체로 변모한 《고리니시체》로 몸을 덮은 로자 그랑하이드였다.

"《연옥기구》·합신형태. 시간 버느라 수고 많았어—."
타르타로스 프레임   데빌마키아 모드

"하아, 하아……."

소피스는 힘겹게 숨을 헐떡이느라 대꾸조차 해줄 수 없었다.

그러나 《연옥기구》의 형태변화로 1백 기 이상의 장갑기룡을 긁어모아 합체한 그 모습은, 소피스가 안심하기에 충분한 위용을 자랑했다.

"부아?! 아아아아……?"

자신들의 거체마저 능가하는 모습을 본 라그나뢰크 두 마리는 아주 잠시 동요하며 움직임을 멈추었다.

반면에 로자는 오만하게 웃으며 붙잡은 이블리스에게 힘을 줘서 두 팔을 부러뜨렸다.

"신기해? 간단한 이야기야—. 얘가 틈틈이 부품을 모아줬을 뿐이지. 너희 괴물들한테 당한 세계 연합의 장갑기룡 수백 기— 그 잔해의 반 정도를 긁어모았으니까 이 정도는 되지—."

"그, 걱…… 가아아아아아아아악!"

로자는 장갑팔을 조작해서 그대로 이블리스를 으스러뜨렸다.

제아무리 폭주 라그나뢰크라지만 1백 기 이상을 합체시켜서 만든 거대 장갑기룡에 붙잡히니 상대가 되지 않았다.

핵까지 압박당해 부서진 뒤에 넝마 같은 꼴로 풀려났다.

그 몸뚱이는 순식간에 재로 변해서 부스러졌다.

"아아아악……!"

하지만 그런 와중에도 아직 건재한 라그나뢰크 포세이돈이 《고리니시체》의 장갑다리에 촉수를 휘감았다.

합체한 장갑의 관절 부위를 노리고 조이려고 했지만— 땅속에 파묻혀 있던 오징어 같은 포세이돈의 본체가 뽑혀 나와 로자 앞에 드러났다.

"아아아아?!"

"동료라는 건 좋구나—. 그걸 만들어주신 룩스 님은 당연히 강할 수밖에—."

"……잡설은 그만 하고 얼른 쏴. 나도 한계."

소피스가 마지막 힘을 쥐어짜내서 《브리트라》의 신장, 궤도 제어로 적을 끄집어냈다.

핵이 박혀 있는 동체가 훤히 드러난 직후, 데빌마키아 모드의 《고리니시체》가 모든 포문을 개방했다.

"브, 아아아아아아아아아아아아아악—?!"

수십 발의 캐논을 장갑 흉부에 배치한 다음 포화를 한 점에 집중했다.

소리가 되지 못한 단말마를 지르면서 포세이돈의 핵이 타올랐다.

적을 완벽하게 격파한 직후 로자는 장갑을 해제했다. 전신에서 땀이 확 샘솟았다.

씨익씨익 어깨로 숨을 몰아쉬면서, 입을 벌린 채 잠시 멍하니 서 있었다.

손가락 하나 까딱할 수 없는 상태였지만, 그대로 쓰러져서 장갑이 해제되지 않은 것만으로도 다행이었다.

1백 기 이상의 합체형태를 만들고 조종하는 것은 그만큼 체력 소모가 격심했다.

"—어떻게든, 쓰러뜨렸네."

"그래, 신세를 졌는걸—."

일찍이 소피스는 『열쇠 관리자』로서 고독한 싸움에 임했고, 로자는 그저 카렌시아가 말하는 대로 움직였다.

누군가와 협력할 줄 모르던 두 사람이 이런 고비에서 힘을 합칠 수 있었던 것은, 둘 다 룩스에게 구원받았다는 공통적인 경험이 있는 덕분이리라.

"너, 보기에는 뭘 생각하고 있는지 모르겠지만, 의외로 제법이구나―."

"그쪽도, 캐릭터가 좀 달라지긴 했지만 그럭저럭 강해."

로자와 소피스가 서로 얼굴을 마주보았을 때 근처에서 땅울림이 들렸다.

"―윽?! 저건, 싱글렌과 데우스 엑스 마키나."

소피스의 말처럼 두 사람의 시야에서 거대한 기계가 춤을 추고 있었다.

푸른 신장기룡《리바이어선》과 기룡의 조율을 응용한 전투기술― 전진을 구사하는 굴지의 실력자 싱글렌. 그러나 역시 라그나뢰크 상대로는 불리했다.

게다가 적 라그나뢰크는 공간 장악을 통해 절대적인 공격력과 회피능력을 자랑하였으며, 두꺼운 환옥철강으로 된 신체의 방어력은 막강했다.

그리고 얼마 전 룩스와 소피스가 함께 싸웠을 때보다도 강한 폭주상태였다.

아무리 싱글렌일지라도 고전은 피할 수는 없었다.

실제로 싱글렌은 적의 공격을 계속 피하기만 할 뿐, 전혀 공세에 나서지 않았다.

"저 오만하고 악랄한 남자도 일단은 부대장. 도와주지 않으면 위험해."

"그러네……. 최소한 호흡만이라도 가라앉으면—."

소피스와 로자가 중얼거린 찰나, 지금까지 연속공격을 퍼붓던 데우스 엑스 마키나에게 이변이 일어났다.

"……기, 이오오오오오오!"

금속이 우그러드는 듯한 둔탁한 소리와 함께 움직임이 심하게 느릿해졌다.

유심히 살펴보니 강철 거구에서 어마어마한 양의 증기가 분출되고 있었다.

"저건, 대체—?"

소피스가 고개를 갸웃했을 때 대장 마기알카의 음성이 들려왔다.

『쯧, 재미없구먼. 둘 다 저 비열한 놈을 걱정할 필요는 없다네. 그대들은 어서 내 뒤쪽으로 대피하게나.』

아직 그녀도 피닉스와 교전 중인 듯했지만 그런대로 여유는 있어 보였다.

"그긱…… 이오오오오오오오옹!"

두 사람이 숨을 짧게 들이마신 순간, 데우스 엑스 마키나의 몸에서 나는 삐걱거리는 소리가 더욱 심해졌다.

머지않아 그 몸뚱이가 안쪽에서부터 터져나가며 반파된 채 땅으로 떨어졌다.

"대체, 무슨 일이……?!"

『간단하다네. 저 《리바이어선》의 신장은 물을 조종하는데— 물의 상태도 자유롭게 변화시킬 수 있지. 아마도 저 녀석은 적의 체내에 흘려보낸 대량의 물을 단번에 기화시켰을 걸세.』

"─."

물은 기화하면 부피가 1천 배 이상으로 팽창한다.

그 현상을 이용해서 데우스 엑스 마키나의 내부에 엄청난 증기압을 걸고 단번에 분쇄했다는 것일까.

언뜻 보기에는 단순하게 느껴지는 물을 조종하는 능력. 그러나 그 응용력은 무궁무진하다.

싱글렌은 신장을 구사한 전술도 일격필살의 영역까지 단련해두었다.

"조율을 응용한 전진만 있는 게 아니라는 거네─. 성가신 남자라니까……."

"뭐, 아군인 동안에는 괜찮으려나……."

"뭘 멍하니 있는 거냐, 풋내기들. 어서 물러나라. 저 전투에 말려들어도 구해주지 않을 거다."

뒤로 돌아선 싱글렌은 여전히 고압적인 시선과 오만한 말투로 질타했다.

그러나 명령을 받고도 로자와 소피스는 머뭇거렸다.

"여력이 있다면 졸부 대장을 도와줘야 해. 저래 봬도 일단은 리더."

"그렇지……. 그리고 다른 라그나뢰크도, 아직 완전히 죽은 건 아니라고─."

로자가 지적한 것처럼 나머지 라그나뢰크들은 아직 숨이 끊어지지 않았다.

이미 핵에 손상을 입어 빈사상태임에도 집념이 남아 있는지 바닥을 기어서 요새 쪽으로 가려 하고 있었다.

그리고 아직 멀쩡한 피닉스와 교전 중인 마기알카를 내버려둔 채 자신들만 퇴각하는 것은 마음에 걸렸다.

『─다 들린다네, 풋내기들.』

어쩐지 노기를 띤 듯한 마기알카의 용성이 싱글렌을 포함한 세 사람에게 날아왔다.

『걱정할 것 없다네. 나머지 라그나뢰크는 내버려두고 감시탑 뒤로 내려가게. 그대들이 거기에 있으면 전력을 다할 수 없으니.』

"……그렇다고 하신다. 무리하지 말고 순순히 따르는 게 좋겠는데."

"숨통을 끊지 못한 건, 개인적으로 불만이지만 말야."

때마침 돌아온 그라이퍼와 메르에게 재촉받고 소피스와 로자는 퇴각을 시작했다.

허세를 부리기는 했지만 어차피 체력도 한계였다.

그대로 감시탑 뒤로 돌아가서, 마찬가지로 마기알카의 명령으로 귀환한 룩스와 에이릴과도 합류했다.

"그라이퍼……."

"뭐, 네놈의 처분은 뒤로 미루겠어. 지금은 저 괴물자식들을 해치우는 게 중요하니까."

배신한 것에 대해서 생각하는 바가 있는 것인지 그라이퍼는 머뭇거리는 에이릴에게 무뚝뚝하게 말했다.

그 태도를 보건대 에이릴이 타인에게 인식조작을 걸어서 코랄이라는 보좌관이 되었을 무렵부터 그녀의 본심을 느끼고 있었을지도 모른다.

"그건 그렇고 끈질기기도 하네. 저만큼 박살났는데 아직 한 마리도 완전히 죽지 않다니……."

"……."

옆에서 메르가 중얼거리는 소리를 듣고 룩스는 미심쩍은 표정을 지었다.

이미 피닉스를 제외한 여섯 라그나뢰크는 죽어가고 있었다. 이제는 재처럼 부스러지기 시작하기를 기다릴 뿐이었지만, 그런 것치고는 뭔가 이상했다.

싸울 수 있는 상태도 아닌데, 어째서 모든 라그나뢰크가 모여드는 것일까—.

"마기알카 대장님! 조심하세요! 라그나뢰크들의 움직임이 뭔가 이상합니다!"

룩스가 즉시 경계하며 소리쳤지만, 눈앞의 감시탑 옥상에서 싸우는 마기알카는 귀찮다는 것처럼 언성을 높였다.

"에잉, 시끄럽구먼. 집중력이 흐트러지지 않는가. 죽어가는 라그나뢰크 따위 알 바 아닐세. 이 통닭 같은 놈이 영 귀찮게 굴어대니 말이지."

피닉스의 깃털이 만들어낸 무지막지한 불화살에 노출된 상태임에도 마기알카는 여력을 남겨두고 있었다.

그러나 룩스는 무언가 정체를 알 수 없는 불안을 느꼈다.

어떻게든 다시 《바하무트》로 가세하기 위해서 호흡을 가다듬으려는 찰나, 느닷없이 피닉스가 후퇴하며 거리를 벌렸다.

마치 대열을 이루려는 것처럼 가로로 쭉 선 라그나뢰크의 선두에서 화염의 날개를 퍼덕이며 정지했고, 동시에 근처까지 내려온 『천궁』에서, 소녀의 목소리가 들려왔다.

『졌습니다. 세계 연합 여러분, 및 「칠용기성」마기알카 젠 반 프리크 대장. 「창조주」의 대표인 저 리스테르카는 여기서 패배와 항복을 선언하겠습니다.』

룩스의 주위가 술렁였다.

그리고 뒤에 있는 요새 안에서까지 동요가 일어난 낌새가 전해졌다.

『여러분을 일방적으로 배신해서 손해를 입힌 주제에 뻔뻔한 소리라는 건 압니다만, 보시다시피 비장의 카드를 모두 잃었으니 이렇게 할 수밖에 없네요. 「대성역」의 유산과 제 머리를 내놓겠으니, 동생들의 목숨만은 살려주실 수 없을까요?』

리스테르카가 침통하게 요청하자 요새 앞에서 상황을 살피고 있던 병사들은 당황했다.

일단 지하에 대피 중인 각국 수뇌들의 판단을 물어봐야 한다고 생각한 것이리라.

"흠— 갸륵한 마음가짐이로고. 그렇다면 일단 세계 연합의 체면을 세워주고, 그쪽의 요청을 받아들일 것인지 생각할 필요가 있지. 묘한 짓 할 생각 말고, 그대로 고도를 좀 더 내리게."

『—네. 관대한 처사에 감사드립니다.』

얼핏 고분고분해 보이는 리스테르카의 태도.

그러나 그 이면, 하늘에 떠 있는 『천궁』 내부의 그녀는 조롱하는 웃음을 짓고 있었다.

"……결국, 일개 상인일뿐이군요. 군인으로서의 그녀는 너무나도 우둔해요."

빈사상태의 라그나뢰크라도, 죽을 때 자폭명령을 내리면 가공할 파괴력을 발휘한다.

리스테르카는 멀쩡한 피닉스를 자폭시키고 나머지 여섯 마리를 동시에 말려들게 해서 위력을 높일 생각이었다.

그렇게 하면 감시탑은 물론 그 뒤에 있는 요새까지 한꺼번에 쓸어버릴 수 있다.

각국 대표도, 『칠용기성』도 에이릴도─.

아직, 승패는 갈리지 않았다.

아직, 역전할 기회는 남아 있었다.

그렇게 생각한 리스테르카가 몰래 라그나뢰크들에게 자폭명령을 내리려고 했을 때 마기알카의 목소리가 들려왔다.

"응? 아아, 이제 그쯤에서 멈춰도 된다네. 충분히 사정거리 안이니까. ─죽어라, 《천변초토(天變焦土)》."
^{헬 템페스트}

그 직후, 마기알카가 조종하는 거대한 설치형 장갑─ 신장기룡 《요르문간드》의 전신이 빛을 방출했다.

눈앞에 출현한 거대 마법진에 폭풍 같은 역장이 소용돌이치더니 에너지의 격류로 변해서 해방되었다.

─투콰아아아아아아아아앙!

고막을 찢어버릴 듯한 굉음이 울려 퍼지고 전신을 후려치는 듯한 충격파가 룩스 일행을 덮쳤다.

그 압도적인 파괴력이 빚어낸 포효는 눈앞에 남아 있던 피닉스만이 아니라 빈사상태에 빠져 있던 여섯 라그나뢰크까지— 그리고 그보다 한참 뒤쪽에 있던 고성마저 날려버리고, 괴멸시켰다.

『그, 런…… 무기가……?!』

처음으로 동요를 드러내며 혼이 빠져나간 목소리로 중얼거리는 리스테르카.

『천궁』은 명중하기 직전에 회피행동을 취했지만 여파만으로 대파하였고, 통신은 끊어질락 말락 했다.

"크크크크……. 나를 두 번이나 속이려 들다니 10년은 이르다네, 계집."

요사한 미소를 띤 마기알카가 《요르문간드》의 일곱 장갑팔로 자세를 잡으며 드높이 선언했다.

무슨 일이 일어났는지 전혀 이해하지 못한 룩스 일행 옆에서 싱글렌이 불손하게 웃고 있었다.

"《요르문간드》의 신장 《천변초토》는 자신이 받은 피해의 일부를 에너지로 변환해서 축적하고 각종 공격능력에 부여할 수 있다. 저 여자가 감시탑 같은 위치에 포진한 것도, 적의 과녁이 되기 위해서였다는 거다."

"헉……?!"

처음으로 그 신장의 구조를 알게 된 룩스가 마기알카의 계략을 이해하고 경악했다.

처음부터 계산한 것이다.

움직일 수 없는 설치형 신장기룡을 가졌으면서 굳이 표적이 되기 쉬운 감시탑 옥상에 포진한 것도.

룩스 일행이 싸우는 동안 온몸으로 계속 불화살을 받아내던 것도. 전부 《요르문간드》의 신장으로 라그나뢰크를 일격에 황천으로 보내버릴 에너지를 축적하기 위한 작전이었다.

"그리고 적이 『창조주』이니만큼 그 능력을 알고 있을 가능성도 염두에 두고, 리스테르카의 교섭을 굳이 받아들이는 척하며 저격했다…… 라는 소리?"

동요를 감추지 못하는 소피스에게 마기알카 본인이 대답해주었다.

"평판이 나쁘구먼. 나는 적의 계책을 꿰뚫어보았을 뿐이라네. 이블리스가 이전에 폭발한 것처럼, 죽어가는 라그나뢰크를 죄다 모아서 우리를 날려버리려는 낌새가 보였으니 말이지. 덕분에 수고가 줄었구먼."

"……."

마기알카의 예상은 정확할 것이라고 룩스도 생각했다.

어쨌거나 『천궁』은 대파되었고, 『창조주』와의 전투도 결판이 난 것 같았다.

"──."

신장기룡 《아지 다하카》를 착용한 미스시스가 불을 뿜는

『천궁』에서 뛰어내려 불타는 초원을 활주하는 모습이 보였다.

그대로 고성 잔해에 숨어서 도주하기 시작했다.

"도망칠 작정인가? 뭐, 당연하겠지. 이런 상황에서는 아무래도—."

그라이퍼가 한숨을 푹 내쉬며 중얼거린 직후 뒤쪽 요새에서 분노에 찬 함성이 터져나왔다.

"이렇게까지 난리를 쳐놓고 후퇴하겠다니, 웃기지 마! 놈들을 놓치지 마라!"

후방 요새로 퇴각했던 세계 연합의 기룡사.

리스테르카의 함정에 당하긴 했지만 비교적 피해가 경미한 《와이번》 사용자 십여 명이 일제히 그 뒤를 쫓았다.

각국 대표의 명령인지, 아니면 개인의 판단인지는 알 수 없으나 돌발적인 행동임에는 분명했다.

"아서게! 지금은 부대 재편성이 우선일세! 어차피 쫓아봐야 의미가 없어!"

아직 장갑을 해제하지 않은 마기알카가 지시했지만 분노로 흥분한 몇 명은 멈추지 않았다.

정예로서 이곳에 모였는데, 함정에 빠져 수많은 동료들을 잃고 말았다.

뜻하지 않은 복수의 기회를 놓치고 싶지 않은 것이리라.

"꼭 이럴 때만 말을 안 듣는구나. 죽음의 문턱에서 도움 받고 간신히 살아남은 주제에."

옆에서 메르가 탄식하자 그라이퍼는 턱에 손을 대고 중얼거렸다.

"하지만 실제로 적들도 힘들지 않겠어? 이 상황에서 추격당하면—."

두 사람의 의견에 룩스도 동의했다.

섣불리 적진에 뛰어드는 것은 위험한 행위이지만, 미스시스도 리스테르카를 안고 있느라 두 팔을 쓸 수 없다.

이대로 포위해서 적을 몰아넣는 데 성공한다면, 어쩌면.

룩스가 그렇게 생각한 순간 에이릴이 옆에서 소리쳤다.

"안 돼! 당장 뒤로 빠지게 해야 하는데……! 그 녀석이 올 거야!"

"……그 녀석?"

룩스가 되물은 순간 두근, 심장이 맥동했다.

혈류가 부그르 소리를 내며 고막을 흔들고, 의식이 어둠에 감싸였다.

찰나— 시간이 멈춘 듯한 착각과 함께 룩스는 보았다.

《와이번》 일곱 기 앞을 가로막은 칠흑의 거룡.

적을 기다리는 느긋한 움직임으로 요격 자세를 취하는, 후길 아카디아의 모습을.

등줄기가 얼어붙었다.

자신이 그 혁명의 날에 셀 수 없을 정도로 사용했으며, 그 뒤에도 모의전을 치르며 연마한 절기.

'즉……격.'

리로드 온 파이어
"─《폭식》."

후길이 중얼거린 직후, 들고 있던 검이 종횡무진 춤을 추었다.

여러 방향에서 일제히 달려든 일곱 기의 기룡. 그것들의 무장과 장갑이 순식간에 절단돼서 붕괴됐다.

시간의 압축강화를 통해 자아낸 연속 베기가 연출하는 파괴극.

그러나 룩스와 결정적으로 다른 점은, 그 칼날이 지나가는 위치였다.

환창기핵과 장갑팔의 손목, 그리고 기공각검 등 기룡의 급소를 노리는 게 아니라, 후길은 사용자의 심장, 목, 옆구리나 허벅지를 깊게 베어 치명상을 입혔다.

삽시간에 정예부대 일곱 명을 참살한 후길은 그대로 공중에 정지했다.

그것은 리스테르카를 안고 도주하는 미스시스의 추격을 막기 위한 태세였으며, 혹은 자신의 위용을 과시하는 것처럼도 보였다.

"어째서─."

그러나 그런 상황파악을 마치기 전에 룩스의 입에서 말이 흘러나왔다.

"어째서, 후길이 《바하무트》를 갖고 있는 거지?!"

알 수 없었다.

신장기룡은 범용기룡처럼 여러 개가 아니라 한 기 씩밖에 존재할 수 없을 터.

《니드호그》나 《아지 다하카》는 재생되었지만, 그것은 완파

되었기 때문에 가능했을 터다.

현재 《바하무트》는 룩스가 소유하고 있는데, 어째서―.

"그에게 섣불리 접근하면 안 돼……. 저 남자가 가진 《우로
보로스》에는……!"

생각에 잠긴 룩스 옆에서 에이릴이 떨리는 목소리를 쥐어짜
냈다.

처음 들어볼 터인 그 기룡의 이름을, 어째서인지 들어본 적
있는 듯한 기분이 들었다.

"《윤회전생》……《우로보로스》가 가진 특수 무장 중 하나
는, 모든 신장기룡의 형태를 취할 수 있어."

"뭐라고……?!"

그라이퍼가 굳은 목소리로 되묻자 나머지 『칠용기성』 멤버
들도 긴장한 표정을 지었다.

에이릴의 말이 사실이라면 그만큼 무시무시한 능력도 없을
것이다.

신장이라 해도 말도 안 되는 능력을 특수 무장으로 지니고
있다니―. 그것이 《우로보로스》라는 존재란 말인가?

"으, 크…… 아."

하지만 단순한 위협이 아닌 무언가가 룩스의 머릿속에서 경
종을 울려댔다.

모래폭풍이 머릿속에서 몰아치고, 통증과 함께 소리가 들
려왔다.

『그럼 3일 뒤, 네가 지시한 대로 다시 여기에 오마. 그때는 확실하게 대답해주길 바란다. 나의 《바하무트》와 함께 《와이번》으로 협력할 것인지. 아니면—.』

'그럼 설마, 제국의 기룡사들을 전부 쓰러뜨린 건…… 아니, 아니야! 그럴 리 없어! 나는 분명 내 의지로 그걸 실행했어! 그걸 한 것도, 나일 거야!'

구제국의 기룡사를 벤 기억도 남아 있었다. 결코 환각이나 꿈 같은 것이 아니었다.

룩스가 고개를 세차게 흔들어서 일그러진 시야를 떨쳐냈다.

그 틈에 미스시스는 후방으로 도약해서 고성 잔해 사이로 사라졌다.

"《윤회전생》, 《생사유전》, 《영겁회귀》……. 두 개의 특수 무장과 하나의 신장 중에서 내가 알고 있는 건 그것뿐이야. 저 남자의 정체는 나도 몰라. 하지만, 싸울 거라면 전원이 공격하지 않으면 위험해……!"

에이릴도 『칠용기성』과 동등한 실력을 가진 뛰어난 기룡사다.

그럼에도 불구하고 강한 경계심을 드러내는 모습을 보면 후길의 실력을 얼추 짐작해볼 수 있었다.

"《우로보로스》…… 그게 저 콧대 높은 자식의 신장기룡이란 말이지. 하지만 원래는 멸망당한 구제국의 제1 황자라며? 그렇게까지 무서워할 상대인가 싶은데."

"……."

모르겠다.

룩스의 기억 속 후길은 장갑기룡에 관해 조언을 해주었다. 그러나 후길 본인이 기룡을 조종하는 모습을 본 적은 한 번도 없을⋯⋯터다.

'한 번도 없어? 정말로? 나는 그날, 그 혁명의 날에 무엇을—.'

정체불명의 위화감이 등줄기를 어루만지고 룩스는 이마를 손으로 짚었다.

어느 날을 기점으로 눈에 비치게 된 이 단편적인 기억영상은 대체 뭘까?

룩스가 극한의 트라우마 때문에 보게 된 환영일까. 아니면—.

"—훗."

후길이 웃음을 남기고 사라지자 요새 앞의 분위기도 이완되었고 병사들이 한숨을 흘렸다.

"아무튼 우리도 철수해야겠구먼. 『대성역』에는 아직 심층부가 남아 있지?"

마기알카에게 질문 받은 에이릴이 머뭇머뭇 대답했다.

"네. 제 정보가 정확하다면 그건 틀림없어요. 아— 그리고 심층부로 가는 문을 열었다면, 그때부터 꼬박 사흘이 지나기 전에는 내부에 들어갈 수 없을 거예요."

"그런 식으로 또 우릴 속이려는 건 아니겠지?"

그라이퍼가 의심하는 것처럼 말하자 에이릴은 즉답했다.

"물론, 척후를 파견해서 상황을 확인해주길 바라. 내가 하는 말을 전부 믿어달라고는 도저히 말할 수 없으니까."

한 번 뒤통수를 때린 사실이 있는 만큼 그렇게 의심받는 것도 각오했을 것이다.

그러나 룩스는 에이릴의 말이 사실이라고 확신했다.

실제로 척후를 보내서 『대성역』 심층부 문이 열려 있지 않다면 사흘을 기다릴 수밖에 없으리라.

그 안에 최대한 태세를 정비해야만 한다.

이제부터는 순수한 경쟁과 쟁탈을 벌이게 될 테니까.

『성식』이 주도하는 이 세계의 붕괴를 막고 『대성역』을 지배할 수 있을까?

아니면 리스테르카를 비롯한 『창조주』에게 빼앗기게 될까?

그 대답이 결정될 순간이 드디어 코앞으로 다가왔다.

『창조주』들이 도주한 후. 전투는 일단 소강상태에 들어갔다.

그로부터 한나절 후. 상황적으로는 엄중 경계 태세였기 때문에 블래큰드 왕국의 백령 기사단이 감시를 늦추지 않고 있었다.

고성이 붕괴한 흔적에는 아무 것도 없었다. 그저 마법진에서 나오는 연한 빛이 세로로 뻗어 기둥을 만들고 있었다.

룩스가 에이릴과 함께 지하에서 탈출한 후 개문 준비는 착착 진행되고 있던 모양이다.

리스테르카 일당은 거점을 잃고 도주했다. 하지만 무너진 고성 지하에서 그리 멀리 가진 않은 것 같았기 때문에 에이릴의 정보가 옳다는 것을 증명해주었다.

한편 룩스를 비롯한 『칠용기성』이 분투해서 부활한 일곱 라그나뢰크 멋지게 격파했기 때문에, 마기알카가 세운 요새 거점은 간신히 무사할 수 있었다.

그러나 이제 다음은 없었다.

남은 모든 전력은 이 자리에 집결하였으니 다음에 충돌할 때 모든 것이 결판나리라.

피로를 참고 달려온 리샤 일행도 이젠 한계였는지 룩스까지 포함해서 휴식 명령을 받았다.

사흘 안에 체력을 회복하라는 건 가혹했지만, 그만큼 의지할 수밖에 없는 것이리라.

이제 남은 적은 『창조주』의 우두머리인 제1 황녀 리스테르카, 시녀 미스시스, 후길, 그리고 헤이즈까지 네 명뿐.

그 외에는 불확정요소로 『성식』이 존재할 뿐이다.

라피 여왕이나 나르프 재상에게 인사하고 『기사단』 면면과 가볍게 상담한 후, 룩스는 마기알카의 지시를 따라 요새 지하로 향했다.

그곳에 있는 엄중한 감옥 안에는 에이릴이 있었다.

"저녁 가져왔어, 에이릴."

"고마워, 룩스 군."

에이릴은 양손에 수갑을 차고 있었고, 다리는 사슬에 묶여 있었다.

복장은 장의였지만 기공각검과 검대는 압수했다.

침대 하나와 동물 기름 램프밖에 없는 간소한 감옥.

죄인 또는 인질 비슷한 취급이었지만, 그럼에도 에이릴은 생긋 웃어주었다.

"뭐랄까, 얼마 전이랑 처지가 뒤바뀌었네."

"미안해. 일단 마기알카 대장님한테, 감옥에서 꺼내달라고 부탁은 해봤지만……."

쓴웃음을 짓는 에이릴 앞에서 룩스는 진지한 얼굴로 고개를 숙였다.

하지만 눈앞의 소녀는 기분이 상한 기색도 없이 수갑을 찬 두 손을 침대에 올리고 룩스에게 앉으라고 권했다.

"아니야. 죽어도 싸다고 생각했으니까, 이것도 과분할 정도 인걸. 룩스 군에게, 마기알카 대장에게, 각국 국왕들에게 감사하고 있어."

실제로 에이릴의 말대로이리라.

세계 연합은 맨 처음 에이릴이 『칠용기성』을 속이고 포로로 잡아갔기 때문에 이 전장으로 오게 된 것이라고 인식하고 있었다.

결과적으로 많은 희생자가 발생한 것은 리스테르카의 모략 탓이지만, 그게 변명으로 통용될 것이라곤 생각하지 않았다.

그러나 마기알카는 룩스에게 자초지종을 듣고 세계 연합에 에이릴 건을 설득하는 방향으로 움직여주었다.

그러기로 한 가장 큰 이유는, 에이릴 본인이 남은 『대성역』 공략 과정에서 중요한 역할을 맡을 가능성이 높기 때문이었다.

따라서 에이릴이 성과를 거두고 『대성역』 공략에 이바지한다면, 최종적으로 은사를 받고 살 수 있게 될지도 모른다.

살얼음판 위— 아니, 단순한 구실에 불과할지도 모르지만, 그것 말고는 살아날 길이 없었다.

그래서 룩스도 최선을 다할 생각이었다.

그렇지만 엄중한 구속 및 감시가 필요했기 때문에 이렇게 감옥에 갇히게 되었다.

감시 담당으로는 그녀와 가장 친한 룩스가 뽑혔다.

"그럼, 밥 먹을까? 수갑은 풀면 안 된다고 해서 풀어줄 수 없지만."

"설마, 먹여줄 거야?"

어딘가 기뻐 보이는 미소를 지으며 에이릴이 장난스럽게 물었다.

이런 상황에서 놀리는 그녀에게 허를 찔린 룩스도 따라서 웃고 말았다.

하지만 사실은 룩스에게 죄책감을 느끼게 할 수는 없다는 에이릴의 배려가 포함된 행동일 것이다.

숟가락으로 스튜를 떠서 입에 옮기자 에이릴은 맛있다는 듯이 방긋 웃었다.

"응, 맛있어. 이렇게 받아먹는 건, 처음일지도 모르겠네."

룩스는 그런 에이릴의 옆모습을 새삼 바라보면서 정말 귀여운 소녀라고 생각했다.

『창조주』의 사명을 완수하기 위해서 처음에는 룩스의 동성 친구로 나타났고, 싸우는 동안에 몇 번이나 도움 받았다.

그런 상황이 아니었다면 지금쯤 어떻게 되었을까?

문득 그런 생각이 떠오르고 말았다.

"사흘 뒤, 출격할 때는 제대로 채워도 괜찮아. 내게도, 목걸이를 말이지."

눈앞의 소녀가 농담조로 말하자 룩스는 심호흡을 한 번 하고서 소녀의 눈동자를 똑바로 바라보았다.

운명의 장난으로 갈라서게 된 적과 아군.

그럼에도 그녀는 사명이 아닌, 이 세계 자체의 미래를 생각해서 평화를 지키는 길을 선택했다.

그러니까.

"에이릴. 더는 배신하지 않을 거지? 우리 편이 되어줄 거지? 그렇다면, 그걸 맹세하고 악수해준다면 그걸로 충분해. 그게, 내가 채우는 목걸이야."

룩스의 말에 멍한 표정을 지은 에이릴은, 이윽고 부드럽게 미소 지으며 룩스의 손을 잡았다.

"……알았어. 맹세할게."

소녀의 손은 매끈매끈해서 잡고 있기만 해도 기분이 좋았다.

『창조주』와 『배신자 일족』의 오랜 인연.

그것조차도 마음 하나로 뛰어넘을 수 있다는 사실이 기뻤다.

룩스가 진한 감동에 젖어 있는데, 문득 에이릴이 뺨을 가까이 내밀었다.

"그러면, 곧 밤이니까 옷을 갈아입혀 줄래? 저기, 부끄럽긴 해도…… 괜찮다구? 룩스 군이라면—."

"뭐어어어어어엇?!"

지금 에이릴이 입고 있는 장의를 벗기고 잠옷으로 갈아입힌다는 것은, 다시 말해 알몸이 될 필요가 있다는 소리다.

수갑과 족쇄 열쇠는 빌려왔으니 문제없지만, 누군가에게 도움 받을 필요가 있었다.

'아이리……한테는 부탁하면 화낼 것 같은데. 그보다 애초

에 내가 이걸 해도 되는 걸까?!'

뺨을 붉게 물들이고 시선을 피하는 소녀의 요염한 옆모습에 저도 모르게 침을 꼴깍 삼킨 순간— 뒤에서 발소리가 다가왔다.

"멈추지 못할까! 뭘 하는 거냐, 이 죄인 녀석아아아아! 거기까지 해도 될 리 없잖느냐?! 룩스한테서 떨어져!"

"정말이지 방심할 틈도 없네. 어떤 면에서는 자연스러운 척하고 있으니 성가셔."

물어뜯을 듯한 기세로 리샤와 크루루시퍼가 말했다.

"루우. 나도 졸리니까, 갈아입는 거 도와줘."

"왜 그렇게 되는 겁니까?! 이 거점에서 그런 짓은 불허합니다! 불건전합니다!"

잠에 취해 하품하는 피르히와 얼굴을 새빨갛게 물들인 세리스가 참견했다.

"저는 환영이어요. 오히려 도와드릴 수 있다면야—."

"요루카 씨는 나가주세요! 상황이 더 혼란스러워지니까! 오빠도요! 협정을 잊은 건 아니겠죠?!"

"저기 난, 그 협정 이야기는 들었지만, 외부인이라 관계없는걸."

"……."

상쾌한 미소로 단언하는 에이릴을 보며 나머지 일동은 멍하니 할 말을 잃고 말았다.

마지막으로 뒤에서 달려온 트라이어드가, 어이없다는 것처럼 탄식했다.

"뭐랄까, 참 쌩쌩한걸."

"Yes. 오히려 감탄이 나올 지경입니다."

"그럼— 리샤 님. 그녀를 협정에서 제외하는 걸 인정할 거예요?"

티르파가 부채질하자 리샤는 심호흡을 크게 하고서 거침없이 소리쳤다.

"신왕국의 공주로서, 그런 새치기를 허용할 것 같으냐! 에이릴! 너도 동참해라! 우리의 협정에 말이다!"

"갑자기 신왕국 왕족의 품격이 내려간 듯한 기분이 드는 걸……?"

크루루시퍼의 지적을 무시하고 티르파도 신이 나서 맞장구쳤다.

"그렇게 나오셔야죠! 좋~아, 그럼 에이릴……? 이 협정서에 이름을 적어줘!"

요새의 차가운 지하 감옥이 순식간에 떠들썩해지며 열기를 띠었다.

■작가 후기

　오랜만입니다, 아카츠키 센리입니다. (이번 후기는 공간이 좁으므로 압축)

　원인불명의 이명 증상에 꽤 익숙해진 (그래도 되나?) 요즈음. 상태가 나빠지면 근처 내과에 갑니다만, 대단히 혼잡하기 때문에 일주일 전에 예약하지 않으면 진료를 받을 수 없습니다.

　하지만 일주일 정도 푹 쉬면 웬만하면 낫기 때문에, 진료를 받으러 가도 그때는 거의 해결되곤 합니다. 병에 걸리기 일주일 전에 예측할 수 있다면 좋을 텐데요.

　하지만 그렇게 돼도 아마 『완전히 병에 걸린 것도 아닌데 퍼질러 잘 여유가 어디 있어!』라면서 다른 일을 하겠죠. 요즘 들어 학창시절 여름방학이 부럽습니다.

　참고로 본 작품 내에서는 아직 새해인데요, 슬슬 사계절이 한 바퀴 돌아서 따라잡을 것 같습니다.

　6권부터 시작한 『칠용기성』 편도 클라이맥스에 돌입했는데, 아직 넘어야 할 산이 몇 개나 남아 있으니 룩스 일행의 활약과 함께 어울려주셨으면 좋겠습니다.

　그럼, 다음 권에서 또 만나 뵙기를 바라며.

2017년 8월 모일 아카츠키 센리

최약무패의 신장기룡 13

초판 1쇄 발행 2019년 6월 10일

지은이_ Senri Akatsuki
일러스트_ Ayumu Kasuga
옮긴이_ 원성민

발행인_ 신현호
편집국장_ 김은주
편집진행_ 최은진 · 김기준 · 김승신 · 원현선 · 권세라
편집디자인_ 양우연
국제업무_ 정아라 · 전은지
관리 · 영업_ 김민원 · 조인희

펴낸곳_ (주)디앤씨미디어
등록_ 2002년 4월 25일 제20-260호
주소_ 서울시 구로구 디지털로 26길 111 JnK디지털타워 503호
전화_ 02-333-2513(대표)
팩시밀리_ 02-333-2514
이메일_ lnovelpiya@naver.com
ㄴ노벨 공식 카페_ http://cafe.naver.com/lnovel11

SAIJAKU MUHAI NO BAHAMUT vol.13
Copyright © 2017 Senri Akatsuki
Illustrations copyright © 2017 Ayumu Kasuga
All rights reserved.
Original Japanese edition published in 2017 by SB Creative Corp.

This Korean edition is published by arrangement with SB Creative Corp., Tokyo
in care of Tuttle-Mori Agency, Inc., Tokyo.

ISBN 979-11-278-5105-7 04830
ISBN 979-11-278-4266-6 (세트)

값 7,000원

데이트 어 라이브 1~20권, 앙코르 1~8권, 머테리얼

타치바나 코우시 지음 | 츠나코 일러스트 | 이승원 옮김

4월 10일. 새 학기 첫 등교일.
이츠카 시도는 평소와 다름없는 일상을 보내고 있었다.
갑작스러운 충격파로 파괴된 마을 한가운데에서 소녀와 만나기 전까지는─

세계를 부수는 재앙, 정령을 막을 방법은 단 두가지.
섬멸, 혹은 대화

정령과 만나게 된 시도는,
세계의 멸망을 막기 위해 데이트로 정령을 꼬셔야하는 운명에 처하게 되는데!?

세계의 멸망을 막기 위한 데이트가 시작된다─!!

🐾ANIPLUS TV 애니메이션 방영 화제작!!

데이트 어 불릿 1~5권

히가시데 유이치로 지음 | 타치바나 코우시 원안·감수 | NOCO 일러스트 | 이승원 옮김

"……저는 이름이 없어요. 빈껍데기예요. 당신은 이름이 뭐죠?"
"제 이름은 토키사키 쿠루미랍니다."
기억을 잃은 채 인계라 불리는 장소에서 눈을 뜬 소녀.
엠프티는 토키사키 쿠루미와 만난다.
그녀의 안내를 받아 도착한 학교에는 준정령이라 불리는 소녀들이 있었다.
서로를 죽이기 위해 모인 열 명의 소녀들.
그리고 비정상적인 존재이자 빈껍데기인 소녀.
"저는 쿠루미 씨의 일행이자 미끼…… 미끼인가요?!"
"아, 미끼가 싫다면 디코이라고……."
"똑같은 의미잖아요!"

이것은 토키사키 쿠루미의 알려지지 않은 이야기.

자— 저희의 새로운 전쟁을 시작하죠

라이트노벨의 새로운 빛! ㄴ노벨의 신간은 매월 10일에 발매됩니다. http://cafe.naver.com/lnovel11

흔해빠진 직업으로 세계최강 1~9권

시라코메 료 지음 | 타카야Ki 일러스트 | 김장준 옮김

『왕따』를 당하던 나구모 하지메는 같은 반 아이들과 함께 이세계로 소환된다.
차례차례 사기적인 전투 능력을 발현하는 반 아이들과는 달리
연성사라는 평범한 능력을 손에 넣은 하지메.
이세계에서도 최약인 그는 어떤 반 아이의 악의 탓에
미궁의 나락으로 떨어지고 마는데—?!
탈출 방법을 찾을 수 없는 절망의 늪에서
연성사로 최강에 이르는 길을 발견한 하지메는
흡혈귀 유에와 운명적인 만남을 이루고—.
"내가 유에를, 유에가 나를 지킨다. 그럼 최강이야. 전부 쓰러뜨리고 세계를 뛰어넘자."

**나락으로 떨어진 소년과 가장 깊은 곳에 잠들었던 흡혈귀가 펼치는
『최강』이세계 판타지 개막!**

라이트노벨의 새로운 빛! ㄴ노벨의 신간은 매월 10일에 발매됩니다. http://cafe.naver.com/lnovel11

데스마치에서 시작되는 이세계 광상곡 1~14권, EX

아이나나 히로 지음 | shri 일러스트 | 박경용 옮김

한창 데스마치를 치르던 프로그래머 스즈키 이치로(29).
『사토』란 닉네임을 쓰는 그가 잠시 잠들었다 깨어나 보니
듣도 보도 못한 이세계에 방치되어 있었다!
혼란에 빠질 틈도 없이 눈앞에는 처음 보는 괴물의 대군이 다가오고,
하늘에서는 유성우가 쏟아진다.
정신을 차리고 보니, 최강 레벨의 힘과 막대한 부를 손에 넣었는데……?!
이렇게 사토의 「유유자적, 가끔 시리어스, 그리고 하렘」인
이세계 모험담이 시작된다!!

최강 레벨과 막대한 재보를 가지고
시작되는 유유자적 이세계 관광!!